DEUTSCH IM BERUF

Wirtschaft

LEHRBUCH 1

DÜRR + KESSLER

Deutsch im Beruf:
Wirtschaft

Ein Lehrwerk für
Deutsch als Fremdsprache
mit dem Schwerpunkt
Geschäfts- und Handelssprache

Herausgegeben von
Heinrich P. Kelz

unter Beratung von

Prof. Dr. Jürgen Beneke, Universität Hildesheim,
(Interkulturelle Kommunikation in der Wirtschaft)
Andreas Deutschmann, Goethe-Institut Iserlohn, (Unterrichtspraxis)
Ursula Frenser, Institut für Internationale Kommunikation,
Düsseldorf, (Betriebswirtschaftslehre und Unterrichtspraxis)
Prof. Dr. Detlev Karsten, Universität Bonn,
(Wirtschaftswissenschaften und Didaktik der Wirtschaftslehre)
Dr. Manfred Kummer, Universität Bonn, (Landeskunde)

Piktogramme

 Aufgabe

)(Partnerübung

∩ Text/Übung auf Kassette

! Besonderheiten

Zu dem Lehrwerk Wirtschaft gehören folgende Teile:

H. P. Kelz, G. Neuf
Lehrbuch 1
3-8018-**5060-9**

Lehrbuch 2
3-8018-**5070-6**

U. Hassel, B. Varnhorn
Arbeitsbuch 1
3-8018-**5063-3**

Arbeitsbuch 2
3-8018-**5071-4**

H. P. Kelz, G. Neuf
Ton-Kassette 1
3-8018-**5061-7**

Ton-Kassette 2
3-8018-**5072-2**

G. Neuf
Lehrerhandreichung 1
3-8018-**5062-5**

Lehrerhandreichung 2
3-8018-**5073-0**

Kompendien mit Glossar
in den Sprachen

Englisch
Französisch
Russisch
Italienisch
Spanisch
Niederländisch

DÜRR + KESSLER
Fuggerstraße 7 · 51149 Köln

Dürr + Kessler ist ein Verlag der Stam GmbH.

ISBN 3-8081-**5060-9**

© Copyright 1996: Verlag H. Stam GmbH · Köln

INHALT

Zurück aus Wien

Guten Tag!

Wie geht's?

Danke, gut.

Das ist Frau Haber.
Sie ist Sekretärin.
Frau Haber arbeitet in Fürth.

Das ist Herr Klein.
Er ist Vertreter.
Herr Klein wohnt in Fürth.

Frau Haber: Guten Tag, Herr Klein!
Herr Klein: Guten Tag, Frau Haber! Wie geht's?
Frau Haber: Danke, gut. Sie sind also wieder da.
Herr Klein: Ja, ich bin seit heute mittag wieder da.
Frau Haber: Das ist gut. Herr Lang wartet schon.
Herr Klein: So?
Frau Haber: Ja, er ist schon ganz gespannt.
Herr Klein: Warum? Ist denn mein Telefax aus Wien nicht da?
Frau Haber: Doch, aber da ist noch etwas unklar. Kommen Sie doch bitte gleich!
Herr Klein: Ja gut. Also, gehen wir!

Was ist richtig, falsch, möglich?

richtig	falsch	möglich	
☐	☐	☐	Herr Klein ist Vertreter.
☐	☐	☐	Herr Klein wohnt in Wien.
☐	☐	☐	Sein Telefax aus Wien ist nicht da.
☐	☐	☐	Frau Haber wohnt in Fürth.
☐	☐	☐	Frau Haber arbeitet in Fürth.
☐	☐	☐	Herr Lang ist nicht da.
☐	☐	☐	Etwas ist unklar.
☐	☐	☐	Frau Haber und Herr Klein gehen gleich zum Chef.

INTONATION

Guten Tag! Guten Tag, Herr Klein! Guten Tag, Frau Haber!

Wie geht's? Herr Lang wartet schon. Er ist ganz gespannt.

Da ist noch etwas unklar. Ist denn mein Fax nicht da?

ü LANGES UND KURZES Ü

drüben übrigens | Fürth pünktlich München fünf Düsseldorf
Zürich Lüneburg | Nürnberg Würzburg Brüssel

Ist der Vokal ü lang oder kurz? Lesen Sie laut!
Brüssel – drüben – Düsseldorf – fünf – Fürth – Lüneburg –
München – Nürnberg – pünktlich – übrigens – Würzburg – Zürich

w STIMMHAFTES W

wie warum woher wann wer wir wohnen Wien etwas
Herr Winter Werk (Zweigwerk) Auf Wiedersehen
Wuppertal Weimar Wiesbaden

Lesen Sie laut!
Auf Wiedersehen – etwas – wann – warum – Weimar – wer – Werk –
wie – Wien – wir – woher – wohnen – Wuppertal – Zweigwerk

ei DIPHTHONG EI

nein Herr Klein mein kein sein seit Arbeit gleich heißen
Herr Seidel Leipzig Verzeihung beim Chef Preis zwei drei
leiten Heidelberg Weimar Freiburg Mannheim Rhein Schneider

! Main Mainz Mailand Daimler Kaiserslautern Bayer Bayern

Lesen Sie laut!

Arbeit – Bayern – Daimler – drei – Freiburg – gleich – heißen – Kaiserslautern – kein – Leipzig –
Mainz – Mannheim – mein – Preis – Rhein – Schneider – sein – seit – Verzeihung – Weimar – zwei

er, sie *PERSONALPRONOMEN*

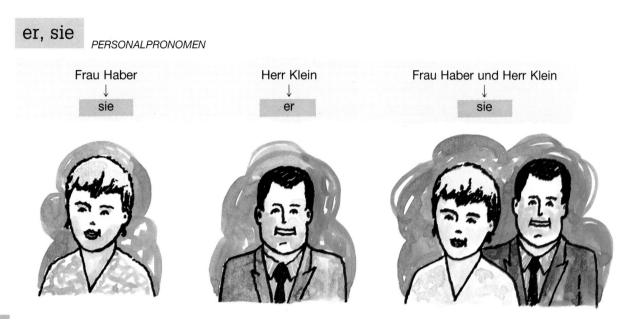

Das ist Frau Haber.   ist Sekretärin.

Herr Klein wohnt in Fürth.   ist Vertreter.

Frau Haber und Herr Klein arbeiten bei Lang.   gehen zum Chef.

ich, wir, Sie *PERSONALPRONOMEN*

			er
SINGULAR	ich	Sie	sie
PLURAL	wir	Sie	sie
	1. PERSON	2. PERSON	3. PERSON

	SINGULAR			PLURAL
	MASKULIN	NEUTRUM	FEMININ	
1. PERSON	ich			wir
2. PERSON	Sie			
3. PERSON	er	es	sie	sie

Frau Haber fragt: „Sind   wieder da?"

Herr Klein sagt: „   bin wieder zurück aus Wien."

Frau Haber fragt: „Gehen   zum Chef?"

bin, ist, sind, sein

PRÄSENS VON SEIN

SINGULAR	1. PERSON	ich bin
	3. PERSON	er ist es ist sie ist
PLURAL	2. PERSON	Sie sind
	3. PERSON	sie sind
	1. PERSON	wir sind
INFINITIV		sein

Frau Haber ⬚ Sekretärin.

Herr Klein, ⬚ Sie wieder zurück aus Wien?

Ja, ich ⬚ wieder da.

Die Firma Lang ⬚ in Fürth.

Herr Klein und Frau Haber ⬚ Mitarbeiter.

-e, -(e)t, -en

PRÄSENS VON VOLLVERBEN

SINGULAR	1. PERSON	ich komme	warte	-e
	3. PERSON	er kommt es kommt sie kommt	wartet wartet wartet	-(e)t
PLURAL	2. PERSON	Sie kommen	warten	-en
	3. PERSON	sie kommen	warten	
	1. PERSON	wir kommen	warten	
INFINITIV		kommen	warten	

ebenso: heißen   arbeiten
         gehen   antworten
         fragen

Herr Lang ⬚ in Fürth   (arbeiten)

Herr Klein ⬚ aus Wien zurück.   (kommen)

Herr Lang ⬚ schon.   (warten)

Herr Klein und Frau Haber ⬚ zum Chef.   (gehen)

Am Flughafen

Hamburg +02:00 HAM

	München MUC			+02:00
→				
Xe67	0630–0750	LH372	320	0
Xe7	0730–0850	LH374	737	0
Xe6	0830–0955	LH376	320	0
67	0835–0955	LH1570	737	0
X	1030–1150	LH1890	737	0
X	1230–1350	LH384	737	0
X	1430–1550	LH388	737	0
Xe67	1530–1650	LH390	737	0
Xe6	1630–1750	LH392	737	0
X	1730–1850	LH1886	320	0
X	1830–1950	LH394	320	0
Xe6	2040–2200	LH398		

Düsseldorf +02:00 DUS

	München MUC			+02:00
Xe67	0630–0740			
Xe67	0730–0840			
X	0830–0940	LH910		
7	0945–1055	LH912	313	0
Xe7	1030–1140	LH914	320	0
7	1130–1240	LH908	313	0
Xe7	1230–1340	LH916	727	0
7	1330–1440	LH936	313	0
X	1430–1540	LH918	737	0
7	1545–1655	LH930	313	0
Xe6	1630–1740	LH920	737	0
X	1750–1925	LH938	312	0
7	1830–1940	LH922	737	0
Xe6	1930–2040	LH924	313	0
	2030–2140	LH926	737	0
		LH932	312	0
		LH928	320	0
			313	0

Frankfurt +02:00 FRA

	München			
→				
X				
X				
Xe67	1645–1745			
Xe7	1745–1845	LH266		
	1845–1940	LH268		
7	1845–1940	LH272	312	0
X	2020–2120	01Aug–06Sep LH272	320	0
X	2045–2145	07Sep–26Oct	737	0
	2140–2235	LH276	737	0
		LH280	AB6	0
		LH282	320	0
			320	0

Herr Stock:	Guten Morgen, mein Name ist Stock.
Herr Dormann:	Guten Morgen, ich heiße Dormann.
Herr Stock:	Und woher kommen Sie?
Herr Dormann:	Ich komme aus Frankfurt. Und Sie?
Herr Stock:	Ich arbeite bei Siemens . . .
Herr Dormann:	Ach so, Sie sind also aus München.
Herr Stock:	Nein, ich komme aus Erlangen. Und wo arbeiten Sie?
Herr Dormann:	Bei Hoechst. – Ach, da ist ja auch Herr Winter von Esso.
Herr Stock:	Ja, er kommt gerade aus Hamburg. Guten Morgen, Herr Winter.
Herr Dormann:	Guten Morgen, Herr Winter.
Herr Winter:	Guten Morgen, Herr Stock. Guten Morgen, Herr Dormann. Ich bin hoffentlich pünktlich. Wann kommt Herr Stromberg? Und ist Herr Harnisch von Krupp schon da?
Herr Stock:	Noch nicht. Er kommt ja aus Düsseldorf. Herr Stromberg kommt übrigens heute nicht.
Herr Winter:	Ach, da drüben wartet ja schon Herr Seidel. Also gehen wir!

Bilden Sie Sätze!

Herr [   ] kommt aus [   ] und arbeitet bei [   ]

Und Sie?

. . .

◇–◇–◇ *AUSSAGESATZ*

Herr Stock	arbeitet	in Erlangen
Herr Dormann	kommt	aus Frankfurt.
Herr Seidel	ist	auch schon da.
Frau Haber	wohnt	in Fürth.

◇–◇–◇ *BEFEHLSSATZ*

Kommen	Sie bitte!
Gehen	wir zum Chef!

⬡–◯–⬡ *FRAGESATZ: SATZFRAGE*

Kommt	Herr Seidel aus Erlangen?
Arbeitet	Herr Dormann bei Hoechst?
Wartet	Herr Lang schon?
Ist	Herr Harnisch schon in München?

◇–⬡–◇ *FRAGESATZ: WORTFRAGE*

Wie	heißen	Sie?
Wo	arbeitet	Herr Winter?
Wann	kommt	Herr Stromberg?
Woher	kommen	Sie?

▷ *Wo steht das Verb?*

- ○ Herr Klein ○ wieder ○ da ○. (sein)
- ○ Herr Lang ○ zurück ○ aus Wien ○? (sein)
- ○ wann ○ Herr Winter ○ von Esso ○? (kommen)
- ○ Herr Stock ○ bei Siemens ○? (arbeiten)
- ○ wo ○ Herr Stromberg ○? (warten)

nicht *NEGATION*

Herr Lang ist	nicht	da.	
Frau Haber wohnt	nicht	in Erlangen.	
Herr Klein arbeitet heute	nicht.		
Das ist	nicht	gut.	
Wartet Herr Lang	nicht?		
Herr Seidel arbeitet	nicht	bei Hoechst.	

▷ *Wo steht **nicht**?*

- ○ Wir ○ gehen ○ zum Chef ○.
- ○ Kommt ○ Herr Stromberg ○ heute ○?
- ○ Herr Winter ○ arbeitet ○ bei Esso ○.
- ○ Wir ○ wohnen ○ in Nürnberg ○.

ja, nein, doch   *ANTWORTEN*

Kommt Herr Stromberg?	Ja, er kommt.
	Nein, er kommt nicht.
Wohnt Herr Lang nicht in Erlangen?	Nein, er wohnt nicht in Erlangen.
	Doch, er wohnt in Erlangen.

Antworten Sie!

Ist Frau Haber nicht Sekretärin bei Lang?	Wohnen Sie in Hamburg?
Ist Herr Klein Vertreter?	Ist Herr Lang auch Vertreter?
Wartet Herr Lang nicht?	Ist etwas unklar?
	Arbeiten Sie nicht bei Siemens?

Dialogbausteine

Begrüßung

Guten Tag!	Guten Tag, Herr Winter.
Guten Morgen!	Guten Morgen, Frau Stromberg.
Wie geht's?	Danke!
Wie geht es Ihnen?	Danke, gut.
Was macht das Geschäft?	Danke, es geht.

Vorstellung

Wie heißen Sie?	Ich heiße . . .
Wie ist ihr Name?	Mein Name ist . . .
Sind Sie Herr Seidel?	Ja, das ist richtig.
Wohnen Sie in Leipzig?	Nein, ich wohne in Düsseldorf.
Arbeiten Sie bei Mannesmann?	Ja, genau.
Arbeiten Sie bei Siemens?	Ja, das stimmt.
Woher kommen Sie?	Ich komme aus Berlin.
Woher sind Sie?	Ich bin aus Bonn.
Wo wohnen Sie?	Ich wohne in Dresden.
Wo arbeiten Sie?	Ich arbeite bei Siemens.

Entschuldigung

Entschuldigung!	
Entschuldigen Sie!	Bitte, keine Ursache.
Entschuldigen Sie bitte!	Keine Ursache.
Verzeihung!	Macht nichts.
Pardon!	

Informationsfragen

Ist er schon da?	Nein, er ist noch nicht da.
Seit wann sind Sie wieder da?	Seit heute mittag.
Ist Herr Klein heute nicht da?	Doch, er ist beim Chef.

Verabschiedung

Auf Wiedersehen!
Auf Wiederhören!
Tschüs!

ABC
DAS ALPHABET

man schreibt:			man spricht:	man schreibt:			man spricht:
A	a	–	ah	P	p	–	peh
B	b	–	beh	Q	q	–	kuh
C	c	–	tseh	R	r	–	err
D	d	–	deh	S	s	–	es
E	e	–	eh	T	t	–	teh
F	f	–	eff	U	u	–	uh
G	g	–	geh	V	v	–	fau
H	h	–	hah	W	w	–	weh
I	i	–	ih	X	x	–	iks
J	j	–	jott	Y	y	–	üpsilon
K	k	–	kah	Z	z	–	tsett
L	l	–	ell	Ä	ä	–	äh
M	m	–	emm	Ö	ö	–	öh
N	n	–	enn	Ü	ü	–	üh
O	o	–	oh	ß		–	es-tset

Fragen und antworten Sie!

Wo arbeiten Sie?
Ich arbeite bei VW.

bei BMW, bei BASF, bei MBB, bei IBM, bei RWE, bei AEG, bei SEL, bei MAN, bei WMF.

Buchstabieren Sie!

Lang: L a n g   Fürth: F ü r t h
       ell – ah – enn – geh   eff – üh – err – teh – hah

Stromberg, Winter, Spät, Klein, Haber, Becker, Dormann, München, Leipzig, Heidelberg, Dresden, Rothenburg, Rostock.

Die Firma Lang

Die Firma Lang ist in Fürth. Die Stadt Fürth liegt in Bayern. Der Chef heißt Konrad Lang.
Das Hauptwerk ist auch in Fürth. Das Zweigwerk ist in Sulzbach bei Fürth.
Die Fabrik in Fürth ist alt. Die Fabrik in Sulzbach ist neu.
Die Verwaltung und der Versand sind in Fürth. Auch der Chef wohnt in Fürth.

das Hauptwerk

die Werkhalle / die Fabrik
das Lager
die Verwaltung
der Parkplatz
die Straße

das Zweigwerk

der, das, die *DAS GRAMMATISCHE GESCHLECHT UND DER BESTIMMTE ARTIKEL*

MASKULIN	NEUTRUM	FEMININ
der Name	das Werk	die Firma
der Versand	das Lager	die Stadt
der Parkplatz	das Büro	die Fabrik
der Eingang	das Telefax	die Verwaltung
↓	↓	↓
er	es	sie

Ist die Firma in München? Nein, sie ist in Fürth.
Ist das Zweigwerk in Fürth? Nein, es ist in Sulzbach.
Der Chef heißt Konrad Lang. Er wartet schon.
Ist der Vertreter schon zurück aus Wien? Ja, er ist seit heute mittag wieder da.

Fragen und antworten Sie!
Wo liegt Fürth? Fürth liegt in Bayern.

Liegt das Hauptwerk nicht in Fürth?
Ist das Hauptwerk neu?
. . .

Zahlen

0	1	2	3	4
null	eins	zwei	drei	vier

5	6	7	8	9
fünf	sechs	sieben	acht	neun

10	100	1000
zehn	hundert	tausend

Lesen Sie laut!

Wie ist die Telefonnummer?

der Chef, Herr Lang:	(09 11) 38 00 55
der Vertreter, Herr Klein:	(09 11) 38 02 46
die Sekretärin, Frau Haber:	(09 11) 38 03 14
der Ingenieur, Herr Seidel:	(0 89) 32 89 72 01

Falsch verbunden

△ Ja, Gellert.
□ Wer ist da bitte?
△ Gellert.
□ Ist da nicht 32 89 72 01?
△ Doch, aber hier ist Gellert.
□ In München?
△ Nein, in Frankfurt.
□ Oh, Entschuldigung!
△ Bitte sehr, keine Ursache.
□ Auf Wiederhören!
△ Auf Wiederhören!

Lesen Sie laut!

Wie ist die Vorwahl?

Frankfurt am Main:	0 69	Frankfurt an der Oder:	0335
München:	0 89	Lübeck:	04 51
Berlin	0 30	Rostock:	03 81
Hamburg:	0 40	Potsdam:	03 31
Düsseldorf:	02 11	Köln:	02 21
Hannover:	05 11	Dresden:	03 51
Wiesbaden:	06 11	Mainz:	0 61 31
Stuttgart:	07 11	Erfurt:	03 61
Kiel:	04 31	Schwerin:	03 85
Saarbrücken:	06 81	Wiesbaden:	06 11
Leipzig:	03 41	Chemnitz:	03 71
Nürnberg	09 11	Kassel:	05 61

Die Firma Sturm braucht eine Maschine

Das ist die Firma Konrad Lang.
Herr Peter Lang ist der Chef.
Frau Haber und Herr Klein arbeiten hier.

Das ist Herr Peter Lang.
Er leitet die Firma Konrad Lang.
Frau Haber und Herr Klein
sind seine Mitarbeiter.

Frau Haber kennen wir schon.
Herr Lang ist ihr Chef.

Herr Klein ist auch bekannt.
Herr Lang ist sein Chef.

Frau Haber: Da ist Herr Klein. Sein Telefax haben Sie ja.

Herr Klein: Guten Tag, Herr Lang!

Herr Lang: Guten Tag, Herr Klein! Sie sind wieder da. Was macht denn unser Kunde in Wien? Ich bin ganz gespannt.

Herr Klein: Mein Telefax haben Sie ja schon. Die Firma Sturm in Wien braucht noch eine M-CC-1. Es ist dringend.

Herr Lang: Das ist sehr schön. Aber wo ist das Problem?

Herr Klein: Die Maschine ist genau richtig, aber die Lieferzeit ist zu lang, und der Preis ist zu hoch.

Herr Lang: Das sind gleich zwei Probleme.
Herr Klein: Und was machen wir?
Herr Lang: Wir machen sofort eine Nachkalkulation. Also, kein Problem.
Herr Klein: Und die Lieferzeit ...?
Herr Lang: Der Produktionsleiter findet sicher eine Lösung.

Was ist richtig falsch möglich ?

☐ ☐ ☐ Herr Lang ist Firmenchef.
☐ ☐ ☐ Die Firma Sturm ist in Fürth.
☐ ☐ ☐ Die Firma Lang ist in Wien.
☐ ☐ ☐ Herr Lang hat das Telefax.
☐ ☐ ☐ Die Firma Sturm braucht zwei Maschinen.
☐ ☐ ☐ Die Firma braucht die M-CC-1 nicht dringend.
☐ ☐ ☐ Herr Lang macht eine Nachkalkulation.
☐ ☐ ☐ Die Lieferzeit ist kein Problem.

INTONATION

Der Produktionsleiter findet eine Lösung.   Wir machen eine Nachkalkulation.

Wo ist das Problem?   Was machen wir?

Was macht unser Kunde in Wien?   Und die Lieferzeit?

a *LANGES UND KURZES A*

Tag Frau Haber da ja aber Name   das danke also Herr Lang wartet ganz
Basel Hagen Klagenfurt Straßburg Aachen gespannt Fax wann etwas ach machen alt
                                         Stadt Mannesmann Hamburg Frankfurt Salzburg

Ist der Vokal A lang oder kurz? Lesen Sie laut!
Aachen – aber – alt – Basel – danke – etwas – Frankfurt – ganz – Hamburg – ja – machen –
Mannesmann – Name – Stadt – Straßburg – Tag – wann

s *STIMMHAFTES UND STIMMLOSES S*

das ist aus Dresden etwas Preis   sie sind also seit so sicher besuchen unser
ist eins was Ludwigshafen nichts   Personalwesen Lösung suchen Sie Seite sechs
                                       sieben sofort

Lesen Sie laut!
also – aus – besuchen – etwas – ist – Lösung – nichts – Preis – seit – sicher – sieben – Siemens – sofort –
suchen – unser – was

e, er *OFFENER UND GESCHLOSSENER ZENTRALVOKAL*

danke heute bitte Name keine Kunde	aber wieder Frau Haber Herr Winter Peter
gespannt Geschäft genau bereits bekannt	unser Mitarbeiter Vertreter Verzeihung Bayern
Elbe Saale Lippe Neiße	Weser Hannover Oder Münster

Lesen Sie laut!

aber – Bayern – bitte – danke – genau – Geschäft – heute – Kunde – Leipziger Messe – Münster – Name – Peter – unser Mitarbeiter – Vertreter – Weser – wieder

haben, habe, hat *PRÄSENS VON HABEN*

	1. PERSON	ich habe
SINGULAR	3. PERSON	er hat es hat sie hat
	2. PERSON	Sie haben
PLURAL	3. PERSON	sie haben
	1. PERSON	wir haben
INFINITIV		haben

 _____ Sie das Telefax? Nein, Herr Lang _____ das Telefax.

-e, -(e)n, -er, -s *PLURALBILDUNG*

SINGULAR	PLURAL	
der Vertreter	die Vertreter	→ –
der Mitarbeiter	die Mitarbeiter	
das Lager	die Lager	
der Tag	die Tage	→ -e
der Preis	die Preise	
das Werk	die Werke	
das Problem	die Probleme	
der Ingenieur	die Ingenieure	
die Frau	die Frauen	→ -en
der Herr	die Herren	
der Kunde	die Kunden	-e → -en
der Bote	die Boten	
die Maschine	die Maschinen	
der Maschinist	die Maschinisten	-ist → -isten
die Fabrik	die Fabriken	-ik → -iken
die Verwaltung	die Verwaltungen	-ung → -ungen
die Kalkulation	die Kalkulationen	-ion → -ionen
die Firma	die Firmen	
das Konto	die Konten	
das Kind	die Kinder	→ -er
das Geld	die Gelder	
das Kleid	die Kleider	
das Hotel	die Hotels	→ -s
der Chef	die Chefs	
das Büro	die Büros	
das Auto	die Autos	

Nennen Sie Artikel und Singular/Plural!

Probleme: das Problem – die Probleme
Chef: der Chef – die Chefs

Maschinen Frau Kind Kalkulationen Büros Kunden Verwaltung
Firma Konten Hotel Preis Mitarbeiter Ingenieur

ein, eine *UNBESTIMMTER ARTIKEL*

	SINGULAR		PLURAL
MASKULIN	NEUTRUM	FEMININ	
↓	↓	↓	↓
ein Vertreter	ein Werk	eine Maschine	Maschinen
ein Chef	ein Büro	eine Firma	Büros
ein Kunde	ein Problem	eine Fabrik	Kunden

kein, keine *NEGATIVARTIKEL*

	SINGULAR		PLURAL
MASKULIN	NEUTRUM	FEMININ	
↓	↓	↓	↓
kein Vertreter	kein Werk	keine Maschine	keine Maschinen
kein Chef	kein Büro	keine Firma	keine Büros
kein Kunde	kein Problem	keine Fabrik	keine Kunden

mein, Ihr, sein, ihr, unser *POSSESSIVARTIKEL*

	SINGULAR		PLURAL
MASKULIN	NEUTRUM	FEMININ	
↓	↓	↓	↓
mein Vertreter	sein Werk	unsere Maschine	Ihre Maschinen
sein Chef	ihr Büro	meine Firma	unsere Büros
Ihr Kunde	unser Problem	Ihre Fabrik	meine Kunden

SINGULAR	1. PERSON	mein(e)
	3. PERSON	sein(e) / sein(e) / ihr(e)
	2. PERSON	Ihr(e)
PLURAL	3. PERSON	ihr(e)
	1. PERSON	unser(e)

Die Firma Sturm in Wien braucht noch eine M-CC-1.
Das ist kein Problem.
Schicken Sie sofort ein Telefax nach Fürth!

Hier ist unsere Nummer.
Machen Sie bitte sofort eine Nachkalkulation!
Gibt es noch ein Problem?

Frau Haber arbeitet in Fürth. Herr Lang ist _____ Chef. Herr Klein arbeitet auch in Fürth.
Auch _____ Chef ist Herr Lang. Frau Haber ist _____ Sekretärin. Frau Haber und Herr Klein
sind _____ Mitarbeiter. Sie sagen: „_____ Firma heißt Konrad Lang. _____ Chef heißt Peter Lang."
Herr Stromberg fragt: „Wie heißt _____ Sekretärin, Herr Lang?" – „_____ Sekretärin? Sie heißt Frau Haber."

Dialogskizze

Text	**Notizen**
H: Da ist Herr Klein.	–
Sein Telefax haben Sie ja.	–
K: Guten Tag, Herr Lang.	–
L: Guten Tag, Herr Klein.	–
Sie sind wieder da?	–
Was macht denn unser Kunde in Wien?	→ Kunde in Wien?
Ich bin ganz gespannt.	–
K: Mein Telefax haben Sie ja schon.	–
Die Firma Sturm in Wien	→ Fa. Sturm:
braucht noch eine M-CC-1.	M-CC-1
Es ist dringend.	dringend
L: Das ist sehr schön.	–
Aber wo ist das Problem?	→ Problem?
K: Die Maschine ist genau richtig,	–
aber die Lieferzeit ist zu lang,	→ Lieferzeit zu lang
und der Preis ist zu hoch.	Preis zu hoch
L: Das sind gleich zwei Probleme.	–
K: Und, was machen wir?	–
L: Wir machen sofort eine Nachkalkulation.	→ Nachkalkulation
Also kein Problem!	–
K: Und die Lieferzeit?	→ Lieferzeit?
L: Der Produktionsleiter	→ Produktionsleiter:
findet sicher eine Lösung.	Lösung

Lang

Klein

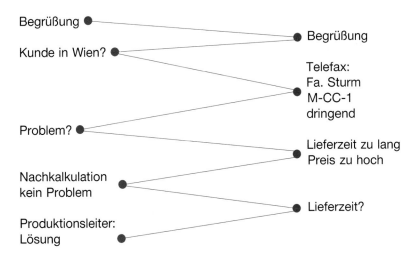

Begrüßung

Kunde in Wien?

Problem?

Nachkalkulation
kein Problem

Produktionsleiter:
Lösung

Begrüßung

Telefax:
Fa. Sturm
M-CC-1
dringend

Lieferzeit zu lang
Preis zu hoch

Lieferzeit?

Berufe

Herr Klein ist Vertreter. Frau Haber ist Sekretärin. Herr Seidel ist Ingenieur.

 Was sind Sie von Beruf?

Wer ist Kaufmann?
Sind Sie Chemiker?
Nein, ich bin Verkäufer.
Und was sind Sie von Beruf?

der Chemiker · der Bauer · die Verkäuferin · der Firmenchef · der Polizist · die Lehrerin · die Sekretärin · der Ingenieur · der Koch · die Ärztin · der Werkstattleiter · die Grafikerin · der Kaufmann · die Buchhalterin · der Fahrer

-in
-innen   *WEIBLICHE FORM*

Mann ...	Frau ...
Geschäftsführer	Geschäftsführerin
Lehrer	Lehrerin
Verkäufer	Verkäuferin
Techniker	Technikerin
Kaufmann	Kauffrau
Programmierer	Programmiererin
Chemiker	Chemikerin
Laborant	Laborantin
Psychologe	Psychologin
Betriebswirt	Betriebswirtin

SINGULAR	PLURAL
die Lehrerin	die Lehrerinnen
die Ärztin	die Ärztinnen

-in → innen

 Mein Beruf ist   Ich bin   von Beruf.

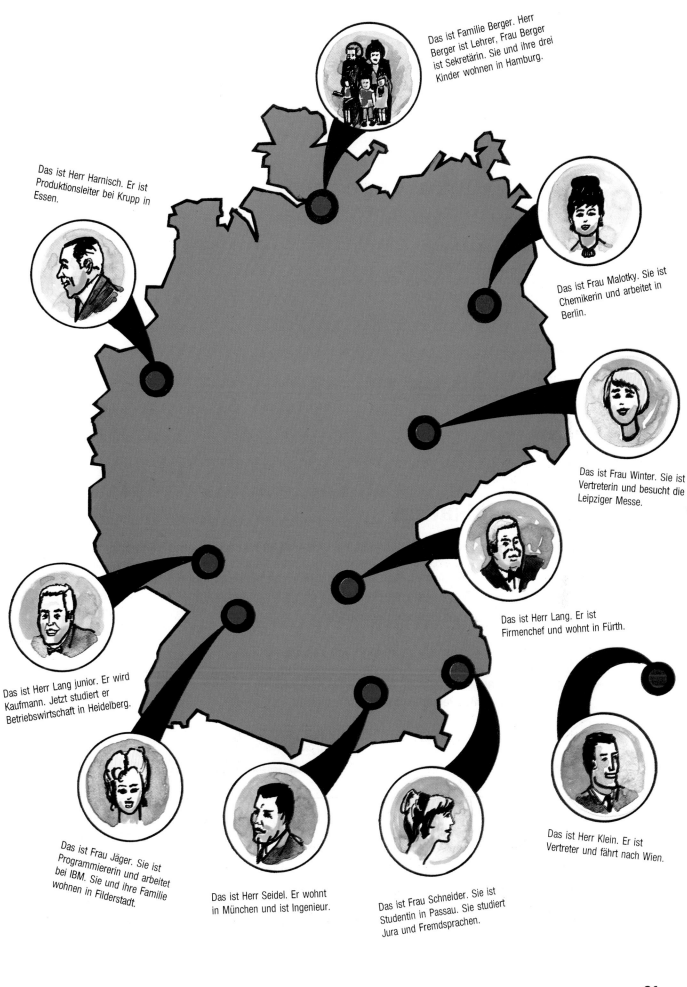

Das ist Familie Berger. Herr Berger ist Lehrer, Frau Berger ist Sekretärin. Sie und ihre drei Kinder wohnen in Hamburg.

Das ist Herr Harnisch. Er ist Produktionsleiter bei Krupp in Essen.

Das ist Frau Malotky. Sie ist Chemikerin und arbeitet in Berlin.

Das ist Frau Winter. Sie ist Vertreterin und besucht die Leipziger Messe.

Das ist Herr Lang. Er ist Firmenchef und wohnt in Fürth.

Das ist Herr Lang junior. Er wird Kaufmann. Jetzt studiert er Betriebswirtschaft in Heidelberg.

Das ist Frau Jäger. Sie ist Programmiererin und arbeitet bei IBM. Sie und ihre Familie wohnen in Filderstadt.

Das ist Herr Seidel. Er wohnt in München und ist Ingenieur.

Das ist Frau Schneider. Sie ist Studentin in Passau. Sie studiert Jura und Fremdsprachen.

Das ist Herr Klein. Er ist Vertreter und fährt nach Wien.

werden, werde, wird   *PRÄSENS VON WERDEN*

SINGULAR	1. PERSON	ich werde
	3. PERSON	er wird
		es wird
		sie wird
	2. PERSON	Sie werden
PLURAL	3. PERSON	sie werden
	1. PERSON	wir werden
INFINITIV		werden

Herr Mauter wird Ingenieur.
Frau Schneider wird Betriebswirtin.
Herr Jäger und Frau Hauk werden Elektrotechniker.
Herr Lang junior wird Kaufmann.
Und was werden Ihre Kinder?

Bilden Sie Sätze!

Herr Lang junior			
Herr Berger	(sein)	(Beruf)	
Herr Jäger	(werden)		
Ich			
Sie			

Die Organisation

Die Firma Lang ist ein mittelständischer Betrieb. Über 1000 Menschen arbeiten dort.
Die Firma produziert und exportiert Prägemaschinen, Abrollmaschinen und Prägewerkzeuge.
Sie ist eine international tätige Firma. Seit zehn Jahren hat sie eine moderne Tochterfirma in Philadelphia.
Ihr Name ist Lang-Hastings. Das amerikanische Werk produziert ebenfalls Prägemaschinen und Prägefolien.

Das europäische Werk hat folgende Organisation:

1. die Geschäftsleitung
2. drei Hauptbereiche: Fertigung, Vertrieb und Verwaltung

Die Fertigung umfaßt   Forschung und Entwicklung, Produktion, Materialwirtschaft.
Der Vertrieb umfaßt   Marketing, Werbung, Außendienst.
Die Verwaltung umfaßt   Personalwesen, Finanzwesen.

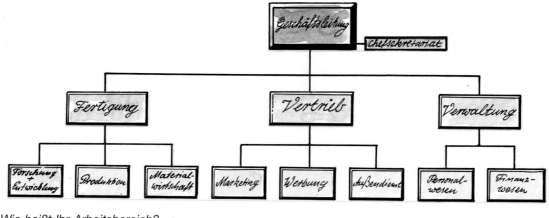

Wie heißt Ihr Arbeitsbereich?
Was umfaßt Ihr Arbeitsbereich?

alt, neu, lang
hoch, modern
PRÄDIKATIVES ADJEKTIV

Das Hauptwerk in Fürth ist alt.
Das Zweigwerk in Sulzbach ist neu.
Das Werk in Philadelphia ist modern.

Der Preis ist hoch.
Die Lieferzeit ist lang.
Die Sache ist dringend.

-e, -er, -es
ATTRIBUTIVES ADJEKTIV, ADJEKTIVENDUNGEN

MASKULIN SINGULAR

der neue Kunde
ein neuer Kunde
kein neuer Kunde
mein neuer Kunde

-r + -e

– + -er

NEUTRUM SINGULAR

das moderne Werk
ein modernes Werk
kein modernes Werk
mein modernes Werk

-s + -e

– + -es

FEMININ SINGULAR

die schnelle Produktion
eine schnelle Produktion
keine schnelle Produktion
meine schnelle Produktion

-e + -e

PLURAL

die neuen Kunden
keine guten Maschinen
meine großen Fabriken
moderne Werke
zwei alte Lager

-e + -en

– + -e

! hoch → hohe, teuer → teure

Problem (groß) → das große Problem, ein großes Problem,
zwei große Probleme, große Probleme, keine großen Probleme

Bilden Sie weitere Beispiele!

Werk (alt), Forschung (intensiv), Nachkalkulation (notwendig), Preis (niedrig),
Lieferzeit (lang), Betrieb (mittelständisch), Absatz (gut), Verwaltung (effektiv)

⬡+⬡ KOMPOSITA

Geschäft-s-leitung: das Geschäft – die Leitung → die Geschäftsleitung
Material-wirtschaft: das Material – die Wirtschaft → die Materialwirtschaft
Maschine-n-fabrik: die Maschine – die Fabrik → die Maschinenfabrik

Trennen Sie!

Produktionsabteilung, Elektroingenieur, Hauptwerk, Zweigwerk, Tochterfirma, Finanzwesen,
Chefzimmer, Lieferzeit, Produktionsleiter, Verwaltungsgebäude, Werkhalle, Arbeitsbereich

⬡-⬡-⬡ WORTSTELLUNG – ZEIT UND ORT

Herr Dormann	ist	seit heute morgen	in München.
Frau Stock	wohnt	jetzt	in Stuttgart.
Herr Seidel	ist	heute	bei Lang in Fürth.
Herr Lang	fliegt	morgen	nach Rom.
Herr Schäfer	arbeitet	seit sechs Jahren	bei Siemens.

Zahlen

10	11	12	13	14
zehn	elf	zwölf	dreizehn	vierzehn

15	16	17	18	19	20
fünfzehn	sechzehn	siebzehn	achtzehn	neunzehn	zwanzig

Wieviel Uhr ist es?

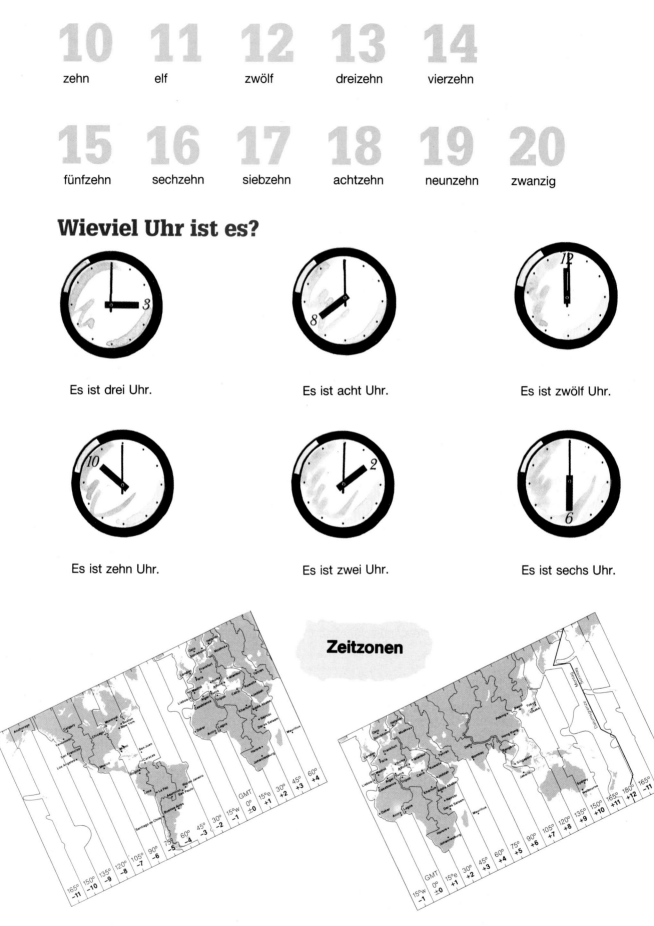

Es ist drei Uhr.

Es ist acht Uhr.

Es ist zwölf Uhr.

Es ist zehn Uhr.

Es ist zwei Uhr.

Es ist sechs Uhr.

Zeitzonen

Was kostet das?

Kennen Sie schon deutsche Münzen und Banknoten?

Das ist eine Mark.

Die Blume kostet zwei Mark.

Das sind fünf Mark.

Der Fahrschein kostet vier Mark.

Das Telefax

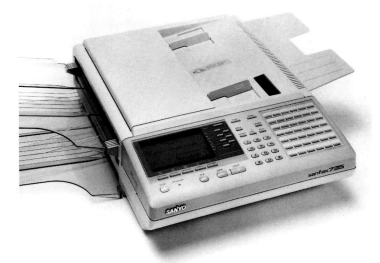

 Schicken Sie ein Telefax! (von ... nach ...)

Telebrief

Seite 1

Anzahl der Seiten incl. Seite 1: _____

⌐An: ⌐

Fax-Nr. des Empfängers:

_____

Datum: ⌐

∟
von:

Nachricht _____

Ein Telefongespräch

Das ist Herr Spät.
Herr Spät ist Abteilungsleiter Prägemaschinen.
Er telefoniert gerade.

Das ist ein Telefon.
Wir sehen die Tastatur.
Sie hat zehn Ziffern.

Die Firma Konrad Lang produziert Prägemaschinen.
Das ist eine M-CC-1.
Die M-CC-1 ist eine Prägemaschine.

Herr Klein: Herr Spät, wir brauchen dringend noch
eine M-CC-1. Wie lang ist die Lieferzeit
jetzt?

Herr Spät: Normalerweise vier Monate.

Herr Klein: Das ist zu lang. Unser Kunde braucht die
Maschine vorher. Geht es vielleicht auch
in acht Wochen?

Herr Spät: Das weiß ich nicht. Es gibt ein Problem.
Es ist kein Steuerungsmodul auf Lager.

Herr Klein: Aber die Fertigung … ?

Herr Spät: Ja, das geht in acht Wochen.

Was ist | richtig | falsch | möglich | ?

- ☐ ☐ ☐ Das Telefon hat eine Tastatur.
- ☐ ☐ ☐ Das Telefon ist weiß.
- ☐ ☐ ☐ Herr Spät produziert Prägemaschinen.
- ☐ ☐ ☐ Die M-CC-1 ist eine Prägemaschine.
- ☐ ☐ ☐ Die Lieferzeit dauert immer vier Monate.
- ☐ ☐ ☐ Die Fertigung dauert vier Monate.
- ☐ ☐ ☐ Das Steuerungsmodul ist nicht da.

BETONUNG

bráuchen dríngend éine únser Kúnde Wóchen Láger áber séhen Zíffer Fírma Kónrad

Péter léiten kénnen ríchtig únklar

Mónate Stéuerungsmodul Líeferzeit Fértigung Prägemaschíne árbeiten Mítarbeiter

normálerweise Maschíne vielléicht Próblem Módul Abteilungsléiter geráde bekánnt gespánnt

Tastatúr telefóniert prodúziert Kalkulatión Produktión

M-CC-1 VW AEG BMW DGB IHK DIHT USA 0228́

LANGES UND KURZES I

sie wie wieder Wien Siemens
liegen Lieferzeit Betrieb
die Maschine

Paris Isar Berlin
Diesel Kiel Wiesbaden Gießen

ich bin in ist sind heute mittag
nicht bitte finden stimmt sicher
Mitarbeiter Entwicklung Firma

Linz Linde Philips Innsbruck
Solingen Göttingen

! Familie Folie

Ist der Vokal i lang oder kurz? Lesen Sie laut!
Betrieb – die Maschine – Diesel – Entwicklung – Familie – Firma – Folie – Gießen – ich bin – in – Innsbruck –
Lieferzeit – Linde – Mitarbeiter – Paris – sicher – Siemens – Solingen – stimmt – wieder – Wien

ch *ICH-LAUT*

ich nicht gleich München hoffentlich pünktlich
gleich sicher möglich natürlich schriftlich nichts

Lech Gelsenkirchen Zürich

Chemie Chemiker China

! Chemnitz Chiemsee Chaos Chlor
Chef Chaussee

i	e	ä	
ö	ü	eu	+ ch
n	l	r	

ch *ACH-LAUT*

ach doch noch auch acht machen Sulzbach besuchen brauchen hoch Nachkalkulation Fremdsprachen Tochterfirma

Aachen Eisenach Sacher

a	o	u	
au			+ ch

 Lesen Sie laut!

Aachen – acht – besuchen – Chaos – Chaussee – Chef – Chemie – Chemnitz – China – Chlor – doch – Fremdsprachen – gleich – hoch – hoffentlich – machen – möglich – natürlich – noch – pünktlich – schriftlich – sicher – Sulzbach – Tochterfirma – Zürich

 au *DIPHTHONG AU*

Frau aus auch auf Hauptwerk brauchen genau Passau Kaufmann Außendienst Auto tausend

Augsburg Kaufhof Audi Donau Recklinghausen Zwickau Braunschweig

Lesen Sie laut!

Außendienst – auch – Audi – aus – Auto – brauchen – Braunschweig – Frau – genau – Hauptwerk – Kaufmann – Passau – tausend – Zwickau

weiß, wissen *PRÄSENS VON WISSEN*

SINGULAR	1. PERSON		ich weiß
	3. PERSON		er weiß
			es weiß
			sie weiß
	2. PERSON		Sie wissen
PLURAL	3. PERSON		sie wissen
	1. PERSON		wir wissen
INFINITIV			wissen

 Das   ich nicht.
Herr Spät   das nicht.
     es Herr Klein?
     Sie es auch nicht?
Doch, ich   das.

den, einen *AKKUSATIV MASKULIN SINGULAR*

den		Chef
den	neuen	Leiter
einen	neuen	Betriebswirt
keinen	hohen	Preis
unseren	modernen	Betrieb

den, einen + (e)n *N-DEKLINATION*

den		Kunden
den	neuen	Kollegen
einen	schnellen	Boten
seinen	neuen	Herrn

den		Menschen
unseren	neuen	Laboranten
		Repräsentanten
		Präsidenten
		Absolventen
		Spezialisten

 Akkusativ Feminin und Neutrum Singular und Plural = Nominativ

Wir sehen die Tastatur.
Der Kunde braucht die neue Maschine.
Es gibt ein großes Problem.
Der Vertreter besucht den alten Kunden.
Die Firma produziert Prägemaschinen.

 Bilden Sie Sätze!

Er hat ein Steuerungsmodul.
Wir kennen den Spezialisten.

Er hat   (kein Steuerungsmodul, zwei Steuerungsmodule, ein neuer Leiter,
                eine neue Chefin, ein guter Spezialist, zwei neue Maschinen)

Wir kennen   (der Abteilungsleiter, der hohe Preis, die lange Lieferzeit,
                der mittelständische Betrieb, sein modernes Werk)

wen, was *VERBEN MIT AKKUSATIV*

Wen kennen Sie? Ich kenne den Abteilungsleiter.
                          PERSON

Was exportiert die Firma? Die Firma exportiert Maschinen.
                          SACHE

Fragen und antworten Sie!
Benutzen Sie folgende Verben!

begrüßen	haben	exportieren	produzieren
besuchen	kennen	finden	schicken
brauchen	leiten	fragen	wissen
buchstabieren	machen	sehen	es gibt

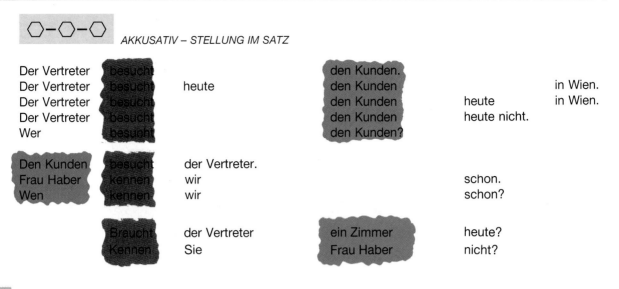

◇–◇–◇ *AKKUSATIV – STELLUNG IM SATZ*

Der Vertreter	besucht			den Kunden.		
Der Vertreter	besucht	heute		den Kunden		in Wien.
Der Vertreter	besucht			den Kunden	heute	in Wien.
Der Vertreter	besucht			den Kunden	heute nicht.	
Wer	besucht			den Kunden?		

Den Kunden	besucht	der Vertreter.		
Frau Haber	kennen	wir		schon.
Wen	kennen	wir		schon?

| Braucht | der Vertreter | ein Zimmer | heute? |
| Kennen | Sie | Frau Haber | nicht? |

Fragen und antworten Sie!

Kennt der Chef den genauen Preis?
Ja, der Chef kennt den genauen Preis.

Produziert die Firma eine neue Maschine?
Nein, die Firma produziert keine neue Maschine.

Herr Spät / brauchen / Steuerungsmodul
Firma Lang / produzieren / modern / Prägemaschinen
Firma Düll / haben / neu / Laborant
Firma Düll / haben / neu / Laborantin

Geschäftsführerin / schicken / Telefax / heute
Firma Sturm / machen / genau / Kalkulation
Sie / haben / groß / Problem
Er / leiten / mittelständisch / Betrieb

nicht / nichts / kein *NEGATION*

Unterscheiden Sie!

Der Monteur braucht das Modul. – Der Monteur braucht das Modul nicht.
    Der Monteur braucht etwas. – Der Monteur braucht nichts.
Der Monteur braucht ein Modul. – Der Monteur braucht kein Modul.
    Hier ist ein Modul. – Hier ist kein Modul.

Nicht / kein / nichts?

Die Firma produziert   neuen Prägemaschinen.

Heute arbeiten die Kollegen   .

Fa. Lang ist ein mittelständischer Betrieb.

Fa. Sturm ist   mittelständischer Betrieb.

Herr Lang telefoniert. Fa. Sturm antwortet

Brauchen Sie etwas? Ich brauche

Weiß er etwas? Er weiß

Kommen Sie? Ich komme

Schreiben Sie eine Dialogskizze!
Beginnen Sie:

Klein:
dringend eine M-CC-1
Lieferzeit?

Spät:
normal 4 Monate

Hören Sie den Dialog! Was ist anders? Notieren Sie!

Zeitangaben

die Stunde	der Tag	die Woche	der Monat	das Jahr
stündlich	täglich	wöchentlich	monatlich	jährlich

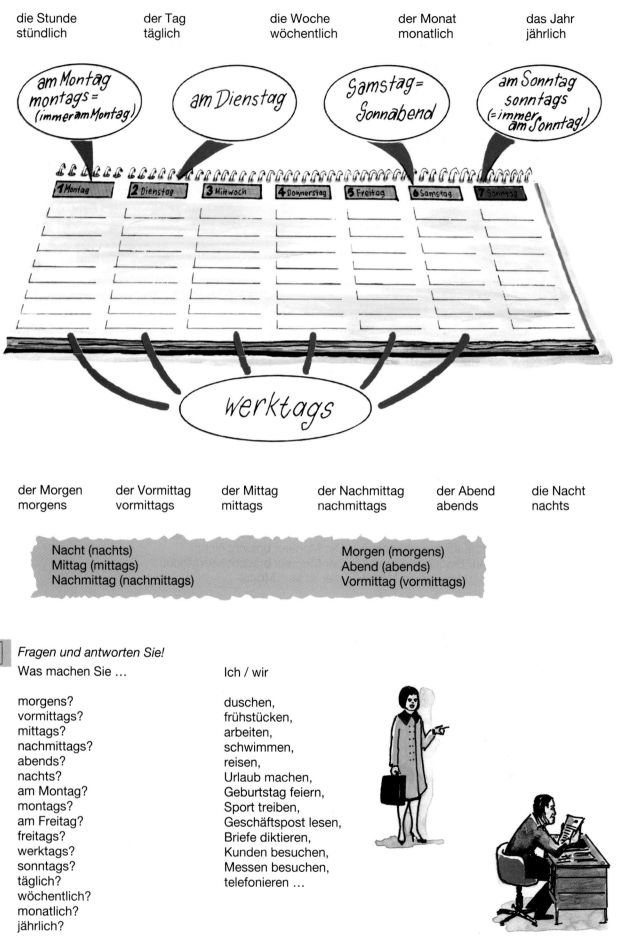

am Montag
montags =
(immer am Montag)

am Dienstag

Samstag =
Sonnabend

am Sonntag
sonntags
(= immer
am Sonntag!)

1 Montag 2 Dienstag 3 Mittwoch 4 Donnerstag 5 Freitag 6 Samstag 7 Sonntag

werktags

der Morgen	der Vormittag	der Mittag	der Nachmittag	der Abend	die Nacht
morgens	vormittags	mittags	nachmittags	abends	nachts

Nacht (nachts)
Mittag (mittags)
Nachmittag (nachmittags)

Morgen (morgens)
Abend (abends)
Vormittag (vormittags)

Fragen und antworten Sie!

Was machen Sie …   Ich / wir

morgens?   duschen,
vormittags?   frühstücken,
mittags?   arbeiten,
nachmittags?   schwimmen,
abends?   reisen,
nachts?   Urlaub machen,
am Montag?   Geburtstag feiern,
montags?   Sport treiben,
am Freitag?   Geschäftspost lesen,
freitags?   Briefe diktieren,
werktags?   Kunden besuchen,
sonntags?   Messen besuchen,
täglich?   telefonieren …
wöchentlich?
monatlich?
jährlich?

Zahlen

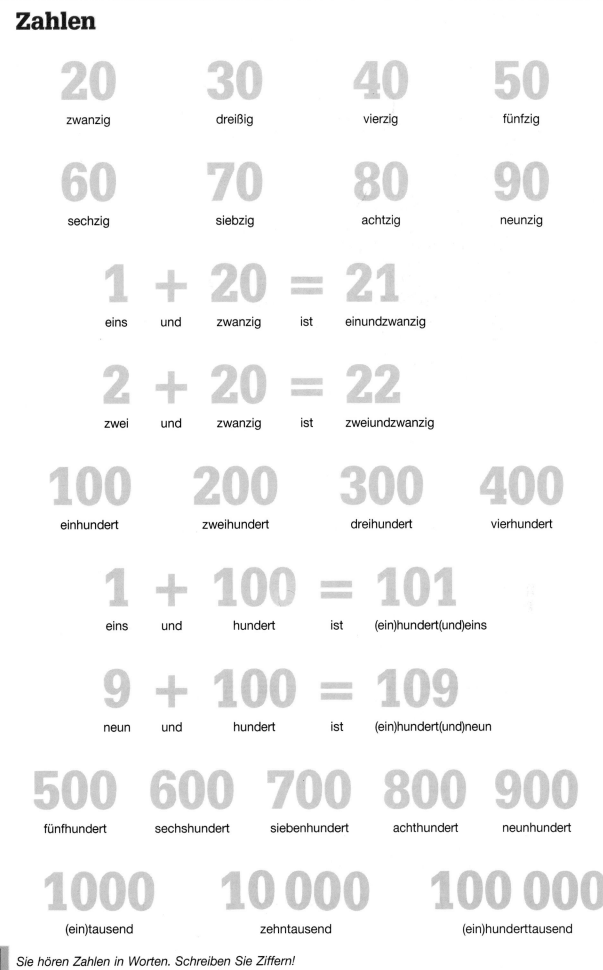

20 zwanzig

30 dreißig

40 vierzig

50 fünfzig

60 sechzig

70 siebzig

80 achtzig

90 neunzig

$$1 + 20 = 21$$

eins und zwanzig ist einundzwanzig

$$2 + 20 = 22$$

zwei und zwanzig ist zweiundzwanzig

100 einhundert

200 zweihundert

300 dreihundert

400 vierhundert

$$1 + 100 = 101$$

eins und hundert ist (ein)hundert(und)eins

$$9 + 100 = 109$$

neun und hundert ist (ein)hundert(und)neun

500 fünfhundert

600 sechshundert

700 siebenhundert

800 achthundert

900 neunhundert

1000 (ein)tausend

10 000 zehntausend

100 000 (ein)hunderttausend

Sie hören Zahlen in Worten. Schreiben Sie Ziffern!

das Diktiergerät (479,– DM);

der Anrufbeantworter (998,– DM);

die Schreibtischlampe (98,80 DM);

der Brieföffner (12,15 DM);

der Locher (11,25 DM); der Schreibtischstuhl (989,– DM);

die Unterschriftenmappe (40,60 DM)

die Schreibmaschine (525,– DM);

Briefmarken (0,10 DM; 0,60 DM);

der Monitor (647,– DM);

 Lesen Sie die Preise laut!

 Fragen und antworten Sie!

Was kostet das Diktiergerät? Das Diktiergerät kostet 479,– DM.
Kostet das Diktiergerät 479,– DM? Ja, es kostet …
Kostet das Diktiergerät nicht 479,– DM? Doch, es kostet …
Kostet das Diktiergerät 589,– DM? Nein, es kostet …

Schreiben Sie die Beträge in Buchstaben!

400,– DM	234,– DM	798,– DM	999,– DM	61,– DM
555,– DM	368,– DM	28,– DM	426,– DM	818,– DM

Reisen in Deutschland

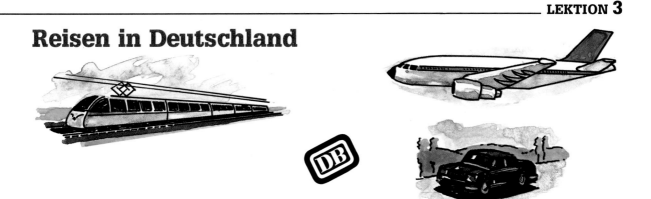

Viele Geschäftsleute benutzen das Flugzeug oder das Auto. Aber viele nehmen auch die Bahn. Sie wählen natürlich einen ganz besonderen Zug: den Intercity (IC), den Eurocity (EC) oder den Intercityexpress (ICE). Sie fahren montags bis freitags tagsüber jede Stunde und verbinden die großen Städte. Das Streckennetz beträgt viele 1000 Kilometer.

Sie wohnen in Bonn? Sind Ihre Ziele München, Hamburg, Berlin oder Paris? Nehmen Sie den Intercity! Er braucht etwa 6 Stunden bis München oder Paris, 5 Stunden bis Hamburg und 8 Stunden nach Berlin. Der Zug führt ein bequemes Zugrestaurant. Dort erwartet Sie das DSG-Team. (DSG = Deutsche Servicegesellschaft der Bahn). Auch ein Telefon ist vorhanden.

Schreiben Sie ein Texttelegramm!

Geschäftsleute – Bahn – IC – ...

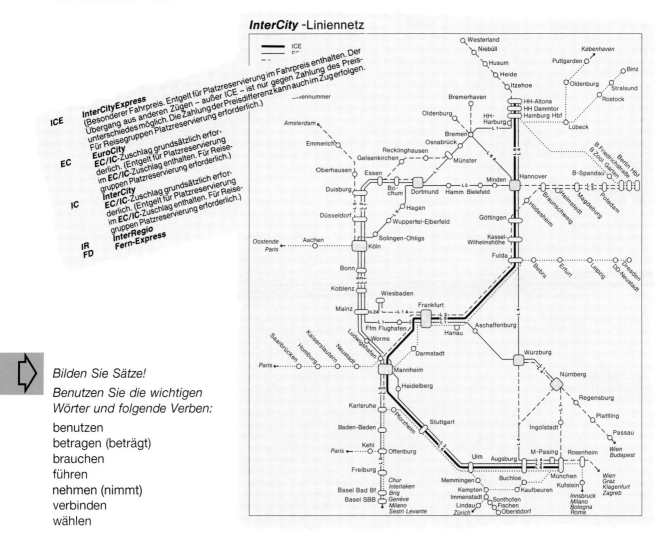

InterCity-Liniennetz

Bilden Sie Sätze!

Benutzen Sie die wichtigen Wörter und folgende Verben:

benutzen
betragen (beträgt)
brauchen
führen
nehmen (nimmt)
verbinden
wählen

Viele Geschäftsleute nehmen die Bahn. Sie wählen ...

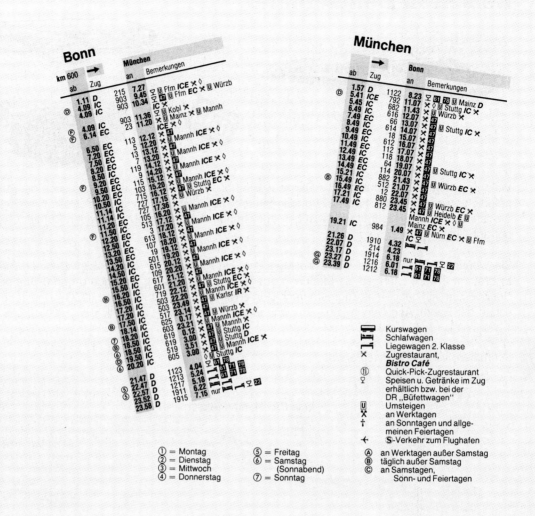

① = Montag	⑤ = Freitag
② = Dienstag	⑥ = Samstag (Sonnabend)
③ = Mittwoch	
④ = Donnerstag	⑦ = Sonntag

Lesen Sie die offiziellen Abfahrts- und Ankunftszeiten!

Abfahrt Bonn: ein Uhr elf
Ankunft München: sieben Uhr siebenundzwanzig

Abfahrt Bonn: 6 Uhr 50
Ankunft München: ?

Abfahrt München: 12 Uhr 49
Ankunft Bonn:

. . .

Fragen und antworten Sie!

Wann fahren die ICs/ECs/ICEs morgens (vor 9 Uhr) nach München?

Wann fahren ICs/ECs/ICEs nachmittags nach Bonn?

Wann ist Umsteigen Ⓤ notwendig Wo?

Was bedeutet Ⓑ? Was bedeutet ②?

. . .

Notieren Sie IC- und EC-Verbindungen: Bonn – Hamburg!

Das Hotel

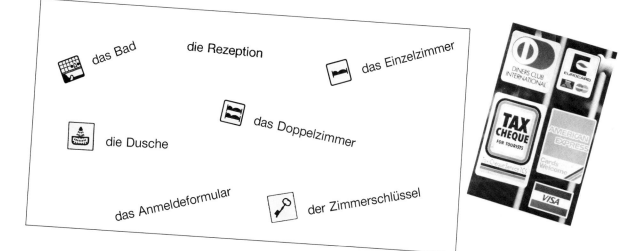

🎧 *Hören Sie das Gespräch!*

⮕ Was ist **richtig** **falsch** ?

richtig	falsch	
☐	☐	Der Gast möchte ein Doppelzimmer.
☐	☐	Er bleibt 3 Tage.
☐	☐	Er nimmt ein Zimmer mit Dusche.
☐	☐	Das Zimmer kostet 417,– DM.
☐	☐	Der Gast zahlt bar.

Warenausfuhr (Export)

Lesen Sie die Ländernamen und ihre Abkürzungen!

Vergleich in Milliarden US-Dollar

Die Länder heißen:		1970	1975	1980	1985	1987	1988	1989
Deutschland	D	34,2	90,2	192,9	183,9	294,4	323,3	341,2
Frankreich	F	18,1	53,1	116,0	101,7	148,4	167,8	179,4
Italien	I	13,2	34,8	77,9	76,7	116,4	128,5	140,7
Großbritannien	GB	19,4	43,4	110,2	101,2	131,3	145,2	152,3
Spanien	E	2,4	7,7	20,7	24,2	34,2	40,3	44,5
die Niederlande	NL	11,6	36,0	73,9	68,3	92,9	103,2	107,8
Belgien/Luxemburg	B/L	11,6	28,8	64,7	53,7	83,3	92,1	100,0
Dänemark	DK	3,4	8,7	17,0	17,1	25,7	27,8	28,1
Griechenland	GR	0,6	2,3	5,2	4,5	6,5		
Portugal	P	0,9	1,9	4,6	5,7	9,3	10,6	12,5
Irland	IRL	1,1	3,2	8,4	10,4	16,0	18,7	20,7
Österreich	A	2,9	7,5	17,5	17,2	27,2	31,0	31,9
die Schweiz	CH	5,1	13,0	29,6	27,5	45,5	50,6	51,5
Norwegen	N	2,5	7,2	18,5	20,0	21,5	22,4	27,1
Schweden	S	6,8	17,4	30,9	30,5	44,5	49,7	51,5
Finnland	SF	2,3	5,5	14,1	13,6	20,0	21,7	23,3
die USA	USA	43,2	108,1	220,8	218,8	254,6	322,4	364,0
Japan	J	19,3	55,8	130,4	177,2	231,3	264,9	273,9
Kanada	CDN	16,7	34,1	67,7	91,0	98,2	116,8	121,4

Lesen Sie die Jahreszahlen laut!

1970: neunzehnhundertsiebzig *oder:* im Jahr neunzehnhundertsiebzig
1975: ...
1980: ...
...
1970 – 1980 = von 1970 bis 1980
1985 – 1987 = ...
1987 – 1988 = ...

Bilden Sie Sätze!

Deutschland exportiert 1987 für 294,4 Mrd. Dollar.

Die USA exportieren ...
Die Schweiz exportiert ...
Frankreich (1980)?
Die USA (1988)?
...

Bilden Sie weitere Aussagesätze!

Der Export von Frankreich steigt von 148,4 Mrd. Dollar im Jahr 1987 auf 167,8 Mrd. 1988.
Der Export von Italien von 1975 bis 1985?

Fragen und antworten Sie!

Auf wieviel Mrd. Dollar steigt der Export von Japan von 1985 bis 1989?
Für wieviel Mrd. Dollar exportiert Norwegen 1988?
...

Die Bestellung

Das ist Frau Hellmann.
Sie telefoniert gerade.
Frau Hellmann ist Sachbearbeiterin.

Das ist ein Katalog.
Es ist der Katalog von Siemens.
Hier finden wir die Bestellnummern.

Herr Spät:	Frau Hellmann, wo ist denn der Siemens-Katalog?
	Wir brauchen dringend noch ein Steuerungsmodul für eine M-CC-1.
Frau Hellmann:	Der Siemens-Katalog ist hier!
Herr Spät:	Dann suchen Sie doch mal die Bestellnummer für das Steuerungs-
	modul S 5!
Frau Hellmann:	Moment! Das ist S 5 / 22-18.
Herr Spät:	S 5 / 22-18. Danke, ich bestelle das Modul sofort. Es ist sehr dringend.
Frau Hellmann:	Die Telefonnummer ist 6 52-7 84.
	Die Vorwahl von Erlangen wissen Sie ja – 0 91 31.

Herr Spät wählt die Ziffern: 0 9 1 3 1 6 5 2 7 8 4 .

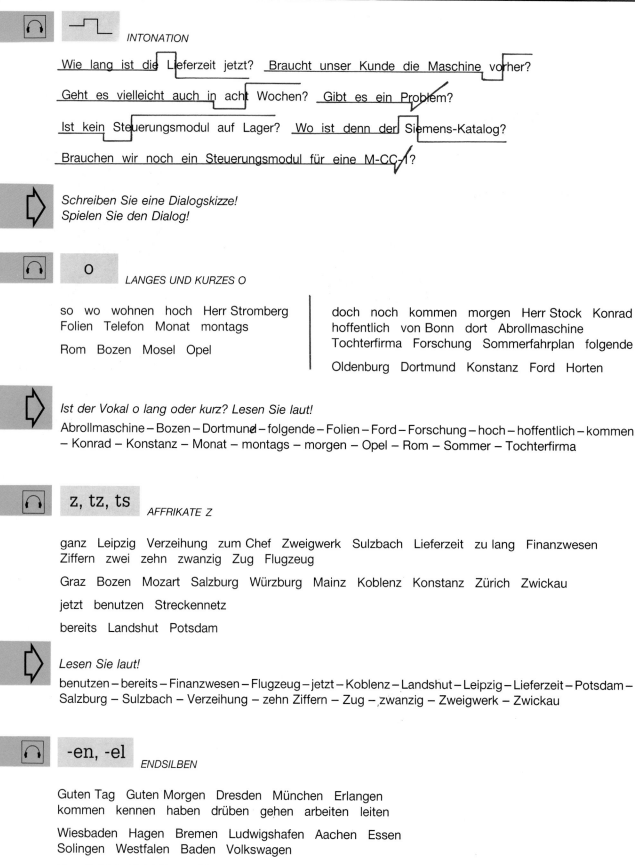

INTONATION

Wie lang ist die Lieferzeit jetzt?   Braucht unser Kunde die Maschine vorher?

Geht es vielleicht auch in acht Wochen?   Gibt es ein Problem?

Ist kein Steuerungsmodul auf Lager?   Wo ist denn der Siemens-Katalog?

Brauchen wir noch ein Steuerungsmodul für eine M-CC-1?

Schreiben Sie eine Dialogskizze!
Spielen Sie den Dialog!

o   *LANGES UND KURZES O*

so wo wohnen hoch Herr Stromberg
Folien Telefon Monat montags

Rom Bozen Mosel Opel

doch noch kommen morgen Herr Stock Konrad
hoffentlich von Bonn dort Abrollmaschine
Tochterfirma Forschung Sommerfahrplan folgende

Oldenburg Dortmund Konstanz Ford Horten

Ist der Vokal o lang oder kurz? Lesen Sie laut!
Abrollmaschine – Bozen – Dortmund – folgende – Folien – Ford – Forschung – hoch – hoffentlich – kommen
– Konrad – Konstanz – Monat – montags – morgen – Opel – Rom – Sommer – Tochterfirma

z, tz, ts   *AFFRIKATE Z*

ganz Leipzig Verzeihung zum Chef Zweigwerk Sulzbach Lieferzeit zu lang Finanzwesen
Ziffern zwei zehn zwanzig Zug Flugzeug

Graz Bozen Mozart Salzburg Würzburg Mainz Koblenz Konstanz Zürich Zwickau

jetzt benutzen Streckennetz

bereits Landshut Potsdam

Lesen Sie laut!
benutzen – bereits – Finanzwesen – Flugzeug – jetzt – Koblenz – Landshut – Leipzig – Lieferzeit – Potsdam –
Salzburg – Sulzbach – Verzeihung – zehn Ziffern – Zug – zwanzig – Zweigwerk – Zwickau

-en, -el   *ENDSILBEN*

Guten Tag Guten Morgen Dresden München Erlangen
kommen kennen haben drüben gehen arbeiten leiten

Wiesbaden Hagen Bremen Ludwigshafen Aachen Essen
Solingen Westfalen Baden Volkswagen

Herr Seidel Heidelberg Kassel

Basel Mosel Opel Diesel

Lesen Sie laut!
arbeiten – Baden – Basel – Bremen – Diesel – Dresden – haben – Hagen – Kassel – kommen – leiten –
Mosel – Opel – Volkswagen – Westfalen – Wiesbaden

Die Bestellnummer für das Steuerungsmodul ist: S 5 / 22-18

Frau Hellmann spricht: es fünf Schrägstrich zwoundzwanzig Strich achtzehn

oder: es fünf Schrägstrich zwo zwo Strich eins acht

> / der Schrägstrich
> – der Strich
> . der Punkt

 Diktieren Sie die Bestellnummern!

S 6 / 36.1 B 8-78 29 / 24-11 79.98

 Hören und schreiben Sie folgende Nummern!

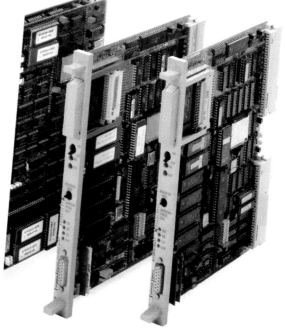

Telefonnummern

Die Telefonnummer von Siemens Erlangen schreibt man: (0 91 31) 6 52-1

Vorwahl	Rufnummer	Zentrale
0 91 31	6 52	-1

Die Durchwahl von Frau Schneider ist: 7 84

Man spricht:

Die Vorwahl von Erlangen ist:
null, neun eins, drei eins.

Die Rufnummer der Zentrale ist:
sechs, fünf zwo - eins

Die Durchwahl von Frau Schneider ist:
sieben, acht vier

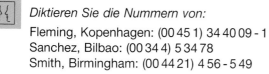 *Diktieren Sie folgende Telefonnummern:*

(09 31) 4 35 - 1
(02 21) 67 89 13
(0 89) 7 86 - 0; 7 86 - 12 45
(0 30) 4 82 - 51; 4 82 - 34 76

Die Telefonnummer von Sturm in Wien schreibt man: (00 43-2 22) 17-0)

Vorwahl Österreich	Vorwahl Wien	Rufnummer	Zentrale
00 43	2 22	17	-0

Die Durchwahl von Herrn Marek ist: 17-5 68

 Diktieren Sie die Nummern von:

Fleming, Kopenhagen: (00 45 1) 34 40 09 - 1
Sanchez, Bilbao: (00 34 4) 5 34 78
Smith, Birmingham: (00 44 21) 4 56 - 5 49

 Hören Sie Telefonnummern!
Notieren Sie!

Notruf Polizei
110

Feuerwehr
112

Exportgüter

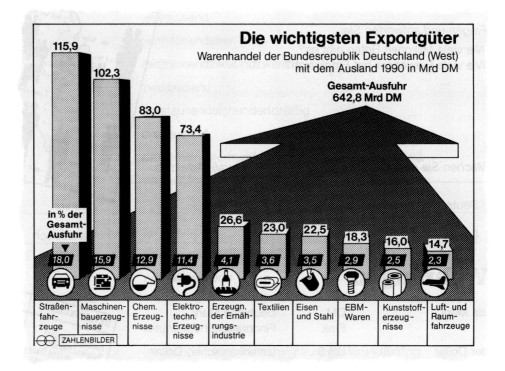

Die wichtigsten Exportgüter
Warenhandel der Bundesrepublik Deutschland (West)
mit dem Ausland 1990 in Mrd DM

Gesamt-Ausfuhr
642,8 Mrd DM

Bezeichnen Sie Wortgrenzen!
Wie betonen Sie?

Branchen	Zeichen	Erzeugnissse
die Auto-mobil-industrie		Straßen-fahr-zeuge
der Maschinenbau		Maschinenbauerzeugnisse
die chemische Industrie		Chemieerzeugnisse
die Elektroindustrie		Elektrotechnische Erzeugnisse
die Ernährungsindustrie		Ernährungsgüter
die Stahlindustrie		Eisen und Stahl
die Textilindustrie		Textilien
die EBM-Industrie		Eisen-, Blech- und Metallwaren
die Luft- und Raumfahrtindustrie		Luft- und Raumfahrzeuge
die Kunststoffindustrie		Kunststofferzeugnisse

Fragen und antworten Sie!
Wieviel beträgt die Gesamtausfuhr von Deutschland im Jahr 1990?
Für wieviel Milliarden exportiert der Maschinenbau?
Wieviel Prozent sind das?

Himmelsrichtungen

im Norden
nördlich

im Nordwesten
nordwestlich

im Nordosten
nordöstlich

im Westen
westlich

im Osten
östlich

im Südwesten
südwestlich

im Süden
südlich

im Südosten
südöstlich

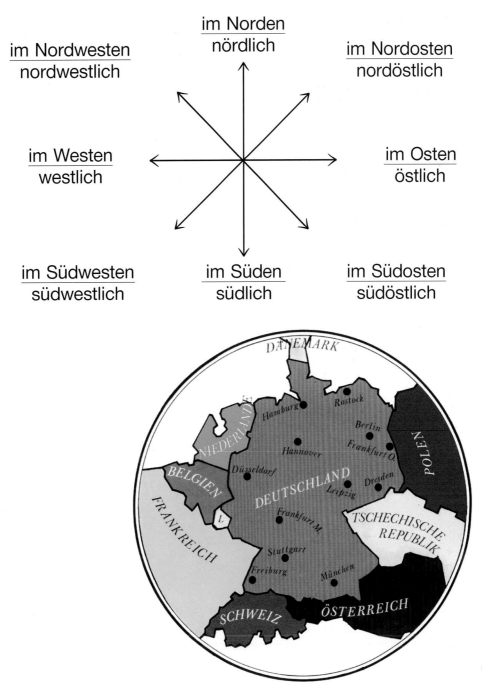

 Fragen und antworten Sie!

Wo liegt Düsseldorf?
Düsseldorf liegt im Westen von Deutschland.
Und Berlin, München, Leipzig, Hamburg, Dresden, Stuttgart,
Frankfurt/Main, Frankfurt/Oder, Freiburg, Rostock, Hannover?

Wie heißt die Hauptstadt von Deutschland?
Die Hauptstadt von Deutschland ist ...

 Wie heißen die Nachbarländer von Deutschland?
Wo liegen sie?

Dänemark liegt nördlich von Deutschland.
Die Schweiz liegt ...

(genau)so ... wie
soviel ... wie
so viele ... wie *KOMPARATION*

Liefern Sie das Modul so schnell wie möglich!
Der Mai ist genauso lang wie der Dezember.
Ein Telefongespräch kostet soviel wie ein Brötchen.
Lang hat nicht so viele Mitarbeiter wie Siemens.

schneller, größer, höher, besser ... *KOMPARATIV*

schnell	→ schneller	
modern	→ moderner	
billig	→ billiger	
heiß	→ heißer	– → -er
langsam	→ langsamer	
spät	→ später	
kühl	→ kühler	
schön	→ schöner	
groß	→ größer	
kalt	→ kälter	
warm	→ wärmer	
klug	→ klüger	a – → ä -er
alt	→ älter	o – → ö -er
lang	→ länger	u – → ü -er
nah	→ näher	
hoch	→ höher	
oft	→ öfter	

teuer	→ teurer	-er → -rer
dunkel	→ dunkler	-el → -ler
gut	→ besser	
viel	→ mehr	
gern	→ lieber	

Die M-CC-1 ist teurer als die ER-10.
Aber die Maschine ist auch besser.
Ist der Preis heute höher oder niedriger als vorige Woche?

Ergänzen Sie!

Herr Spät möchte das Steuerungsmodul so   wie möglich. (schnell)

Die M-CC-1 ist eine   Maschine als die ER-10. (gut)

Der Zug fährt genauso   wie das Auto. (langsam)

Im Sommer sind die Tage   als im Winter. (lang)

Hamburg hat zweimal so   Einwohner wie Köln. (viel)

Hoechst hat einen dreimal so   Umsatz wie Opel. (hoch)

Herr Lang fährt   nach München als nach Hamburg. (gern)

Herr Spät hat ein   Gehalt als Herr Mitsam. (hoch)

Herr Seidel verdient   Geld als Herr Dormann. (viel)

Antworten Sie!

Ist die Firma Lang so groß wie die Firma Siemens?
Macht Lang soviel Umsatz wie Siemens?
Hat Lang so viele Mitarbeiter wie Siemens?

-mal *MULTIPLIKATIVA*

einmal, zweimal, dreimal, viermal, fünfmal ...
zehnmal, zwanzigmal, ... hundertmal ... tausendmal

 Lesen Sie laut!
7 x, 12 x, 13 x, 17 x, 19 x, 24 x, 35 x, 49 x, 67 x, 99 x

 Rechnen Sie!

Prägemaschinen

△ Diese Maschine ist etwas teurer als diese.
○ Aber welche Maschine ist besser?
△ Diese hier ist die beste!
○ Für welche Codierfolie ist sie geeignet?
△ Da können sie alle Codierfolien verwenden.
○ Wirklich jede Folie? Auch die CO-502?
△ Ja, natürlich. Gerade für diese Folie ist die Maschine bestens geeignet.
　 Sie können alle Folien bis zu 127 mm Breite verwenden.
○ Sehr gut! Und warum ist diese Maschine teurer als diese?
△ Sie hat eine höhere Geschwindigkeit. Dieser Mechanismus ist sehr aufwendig.
○ Welchen Mechanismus meinen Sie?
△ Hier ist eine Umkehrrolle eingebaut. Sie erhöht die Geschwindigkeit und ermöglicht
　 zwei Arbeitsgänge auf einmal. Die Wartezeiten entfallen. Deshalb kann dieses Gerät
　 dreimal so viele Karten prägen wie dieses.
○ Prima! Welche Lieferfrist haben Sie zur Zeit für diesen Typ?
△ Für alle Maschinen haben wir zur Zeit zwölf Wochen Lieferfrist ab Auftragseingang.

 Welche ist die beste Maschine? Warum?
Werben Sie für die beste Maschine!
Notieren Sie die Vorteile!

> am schnellsten
> am teuersten
> am größten
> am besten

SUPERLATIV

schnell	→ am schnellsten
teuer	→ am teuersten
modern	→ am modernsten

– → -sten

hoch	→ am höchsten
warm	→ am wärmsten
lang	→ am längsten

– → ¨-sten

interessant	→ am interessantesten
kalt	→ am kältesten
schlecht	→ am schlechtesten
heiß	→ am heißesten

– → (¨)-esten

! groß → am größten

! nah → am nächsten

! gut → am besten
viel → am meisten
gern → am liebsten

Diese Maschine ist am besten. Die M-CC-1 ist am teuersten. Wohin fährt Herr Lang am liebsten?

Fragen und antworten Sie!

Was ist _____ , das Auto, die Bahn oder das Flugzeug? Das Flugzeug ist _____ . (schnell)

Welche Stadt ist _____ , Berlin, Frankfurt oder Leipzig? Berlin ist _____ . (groß)

Wo sind die Wohnungen _____ , in Köln, München oder Düsseldorf? In München sind sie _____ . (teuer)

Was essen / trinken sie _____ , ...? Ich esse / trinke _____ ... (gern)

> dies(e)
> welch(e)
> jed(e)

DEMONSTRATIV, INTERROGATIV, QUANTITATIV

	SINGULAR			PLURAL
	MASKULIN	NEUTRUM	FEMININ	
NOMINATIV	der	das	die	die
	dieser	dieses	diese	diese
	welcher	welches	welche	welche
	jeder	jedes	jede	alle
AKKUSATIV	den	das	die	die
	diesen	dieses	diese	diese
	welchen	welches	welche	welche
	jeden	jedes	jede	alle

dieser neue Typ
jedes neue Gerät
diese teure Maschine
alle geeigneten Folien
welchen modernen Mechanismus?

Welche Ordner braucht Herr Spät?
Herr Spät braucht diese Unterlagen.
Diese Ordner brauche ich auch.
Brauchen Sie alle Ordner?

Landschaften in Deutschland

In Deutschland gibt es vier verschiedene Landschaftstypen. Die nördlichste Landschaft ist das norddeutsche Tiefland. Weiter südlich folgt das Mittelgebirge. Ganz im Süden liegen die Alpen und das Alpenvorland. Der höchste Berg ist die Zugspitze (fast 3000 m hoch), der zweithöchste Berg ist der Watzmann (ungefähr 2700 m hoch). Durch Deutschland fließen viele Flüsse. Der längste Fluß ist der Rhein (rund 870 km in Deutschland). Er ist auch die wichtigste Wasserstraße für die europäische Binnenschiffahrt. Der zweitlängste Fluß in Deutschland ist die Elbe. Beide Flüsse fließen nach Norden und münden in die Nordsee. Die größte deutsche Insel ist Rügen, die zweitgrößte Fehmarn. Beide Inseln liegen im Norden. Der größte Binnensee ist der Bodensee. Wo liegt er?

 Machen Sie eine Tabelle!

Landschaftstypen	Berge	Flüsse	Binnenseen	Inseln

Bestellung per Telex

```
91-07-05  10:31
+
624748a lang d+
624748a lang d
(61) 3652528=arab

teletex message ttx a
telex an lang, fuerth

5.7.1991        ra/kn


bestellung
----------

zur sofortigen lieferung frei haus, unverzollt, unversteuert:

100 rollen codierfolie co502, blau, 30 mm breit, 183 m lang,
   art.nr. 2295

mfg
dagmar knauer
ara-kaese, bregenz, oesterreich

(61) 3652528=arab +
624748a lang d
```

 MASSEINHEITEN

m	= (der) Meter, –	kg	= Kilogramm
mm	= Millimeter	t	= (die) Tonne, -n
cm	= Zentimeter	m^2 = qm	= Quadratmeter
km	= Kilometer	km^2 = qkm	= Quadratkilometer
l	= (der) Liter, –	m^3 = cbm	= Kubikmeter
dl	= Deziliter	cm^3 = ccm	= Kubikzentimeter
g	= (das) Gramm, –		

Lesen Sie laut!
50 l Benzin, 500 t Stahl, 28 g Gold, 250 km Entfernung,
37 km^2 Fläche, 1800 cm^3 Volumen, 35 mm Breite, 2 dl Wasser

Bestellen Sie ein Steuerungsmodul per Telex!

Die Verbraucher und ihre Kaufkraft

Am meisten für Ernährung!

Rund 1,2 Billionen DM haben
die Bundesbürger 1989 für den
privaten Verbrauch ausgegeben.
Der größte Brocken davon diente
dem leiblichen Wohl; für 202
Milliarden DM wurde gegessen
und getrunken. An zweiter Stelle
stand das Wohnen; 192 Milliarden
DM flossen auf die Konten der
Vermieter. Ein gewichtiger Posten
in den bundesdeutschen Haus-
haltskassen ist das Auto. Für die
Anschaffung eines fahrbaren
Untersatzes wurden 1989 rund
66 Milliarden DM locker gemacht
– mehr als doppelt soviel wie im
Jahr 1980.

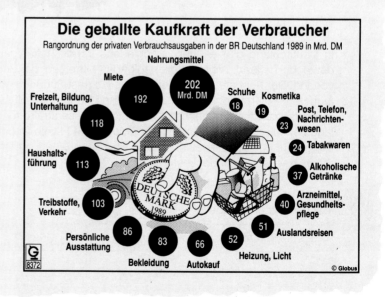

Die geballte Kaufkraft der Verbraucher
Rangordnung der privaten Verbrauchsausgaben in der BR Deutschland 1989 in Mrd. DM

Nahrungsmittel 202 Mrd. DM
Miete 192
Freizeit, Bildung, Unterhaltung 118
Haushaltsführung 113
Treibstoffe, Verkehr 103
Persönliche Ausstattung 86
Bekleidung 83
Autokauf 66
Heizung, Licht 52
Auslandsreisen 51
Arzneimittel, Gesundheitspflege 40
Alkoholische Getränke 37
Tabakwaren 24
Post, Telefon, Nachrichtenwesen 23
Kosmetika 19
Schuhe 18

© Globus

Die Deutschen verbrauchen jährlich 40 Milliarden Mark für Arzneimittel und Gesundheitspflege.
Wieviel verbrauchen sie für Essen und Trinken? Wieviel verbrauchen sie für Bekleidung und
Schuhe, für Alkohol und Tabakwaren, für das Wohnen ...?

Die Besprechung

Herrn Spät kennen wir schon. Er sitzt am Schreibtisch und sucht seine Unterlagen.

Hier liegen ein Ordner, eine Mappe und zwei Schnellhefter.
Herr Spät braucht diese Unterlagen für eine Besprechung.

Frau Hellmann serviert Kaffee und Tee.
Sie bringt die Getränke und die Tassen ins Besprechungszimmer.

Herr Spät:	Wo haben Sie die Unterlagen für die Besprechung heute nachmittag, Frau Hellmann?
Frau Hellmann:	Sie liegen hier. Ich bringe sie sofort. Diesen Ordner brauchen Sie auch.

Sie bringt einen Ordner, zwei Schnellhefter und eine Mappe.

Herr Spät:	Herr Mitter kommt ja wohl auch gleich ins Besprechungszimmer. Der Auftrag aus Wien ist sehr dringend. Wir besprechen heute den Fertigungsplan. Liefertermin in acht Wochen. Außerdem haben wir noch viele andere Aufträge.
Frau Hellmann:	Möchten Sie Kaffee?
Herr Spät:	Ja, bitte. Und Tee für Herrn Mitter. Es dauert sicher lange heute. Bringen Sie die Getränke bitte gleich nach oben.
Frau Hellmann:	Ja, mache ich. Wann geht's denn los?
Herr Spät:	Wir beginnen um 15.30 Uhr.
Frau Hellmann:	Kommt Herr Mitter ohne den Werkstattmeister?
Herr Spät:	Nein, natürlich nicht. Herr Heuberger kommt auch.
Frau Hellmann:	Herr Mitter kommt hoffentlich pünktlich.

*Hören Sie einen weiteren Dialog! Was ist anders?
Notieren Sie es!*

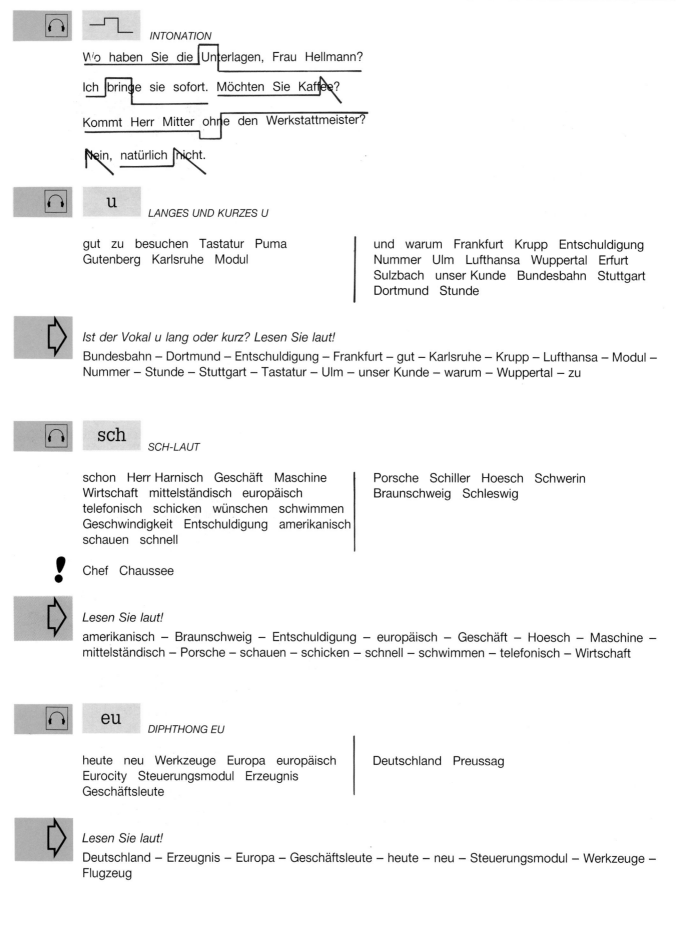

INTONATION

Wo haben Sie die Unterlagen, Frau Hellmann?

Ich bringe sie sofort. Möchten Sie Kaffee?

Kommt Herr Mitter ohne den Werkstattmeister?

Nein, natürlich nicht.

u *LANGES UND KURZES U*

gut zu besuchen Tastatur Puma Gutenberg Karlsruhe Modul

und warum Frankfurt Krupp Entschuldigung Nummer Ulm Lufthansa Wuppertal Erfurt Sulzbach unser Kunde Bundesbahn Stuttgart Dortmund Stunde

Ist der Vokal u lang oder kurz? Lesen Sie laut!
Bundesbahn – Dortmund – Entschuldigung – Frankfurt – gut – Karlsruhe – Krupp – Lufthansa – Modul – Nummer – Stunde – Stuttgart – Tastatur – Ulm – unser Kunde – warum – Wuppertal – zu

sch *SCH-LAUT*

schon Herr Harnisch Geschäft Maschine Wirtschaft mittelständisch europäisch telefonisch schicken wünschen schwimmen Geschwindigkeit Entschuldigung amerikanisch schauen schnell

Porsche Schiller Hoesch Schwerin Braunschweig Schleswig

! Chef Chaussee

Lesen Sie laut!
amerikanisch – Braunschweig – Entschuldigung – europäisch – Geschäft – Hoesch – Maschine – mittelständisch – Porsche – schauen – schicken – schnell – schwimmen – telefonisch – Wirtschaft

eu *DIPHTHONG EU*

heute neu Werkzeuge Europa europäisch Eurocity Steuerungsmodul Erzeugnis Geschäftsleute

Deutschland Preussag

Lesen Sie laut!
Deutschland – Erzeugnis – Europa – Geschäftsleute – heute – neu – Steuerungsmodul – Werkzeuge – Flugzeug

Was möchten Sie trinken?

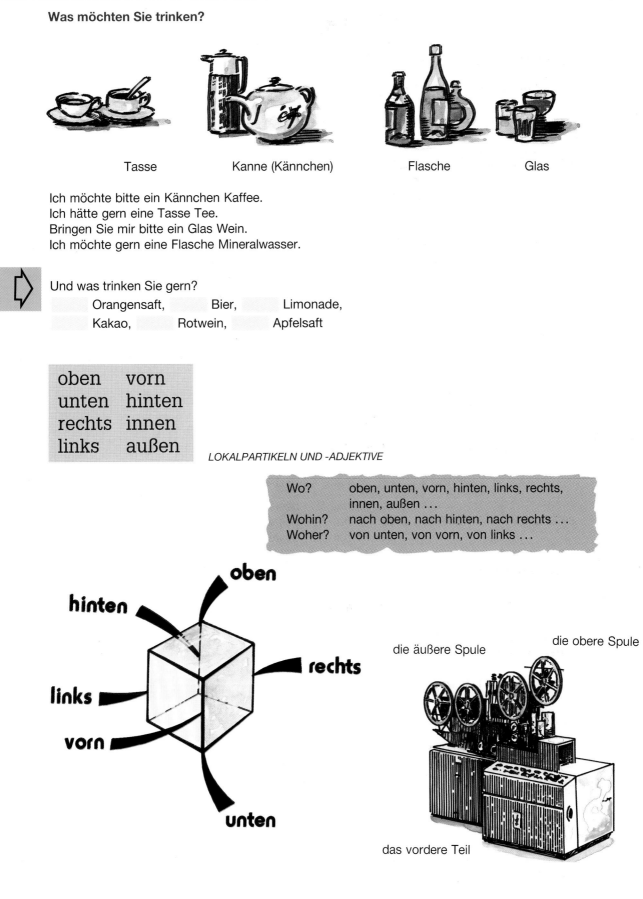

| Tasse | Kanne (Kännchen) | Flasche | Glas |

Ich möchte bitte ein Kännchen Kaffee.
Ich hätte gern eine Tasse Tee.
Bringen Sie mir bitte ein Glas Wein.
Ich möchte gern eine Flasche Mineralwasser.

➪ Und was trinken Sie gern?
       Orangensaft,   Bier,   Limonade,
       Kakao,   Rotwein,   Apfelsaft

oben	vorn
unten	hinten
rechts	innen
links	außen

LOKALPARTIKELN UND -ADJEKTIVE

Wo?	oben, unten, vorn, hinten, links, rechts, innen, außen ...
Wohin?	nach oben, nach hinten, nach rechts ...
Woher?	von unten, von vorn, von links ...

oben
hinten
links
rechts
vorn
unten

die äußere Spule   die obere Spule

das vordere Teil

Fragen und antworten Sie!

Welches Modul meinen Sie? Das Modul da unten.
Wo ist die Rolle für die Folie? Sie ist außen links.
Wo liegt Ihr Buch? ...

Haben Sie schon telefoniert?

PRÄSENS

△ Bestellen Sie das Modul noch heute!
○ Ja, ich telefoniere gleich.
...
△ Es antwortet niemand.
○ Versuchen Sie es später noch mal.
Übrigens, Herr Heuberger soll meine
Berechnungen bekommen.
○ Ja, ich gebe sie ihm heute mittag.
Er liest gerade den Bericht.
...

PERFEKT

△ Haben Sie das Modul schon bestellt?
○ Ich habe sofort telefoniert, aber es hat
niemand geantwortet. Ich habe es schon
dreimal wieder versucht.
△ Versuchen wir es gleich noch mal.
Hat Herr Heuberger übrigens meine
Berechnungen bekommen?
○ Ja, schon heute mittag. Er hat auch schon
den Bericht gelesen. Ich habe eine Notiz
auf Ihren Schreibtisch gelegt.
△ Danke, ich hoffe, ich habe keinen Fehler
gemacht.
○ Hat nicht schon vorige Woche der Probe-
lauf begonnen?
△ Doch, aber es hat nicht alles geklappt.
Etwas ist schiefgegangen.

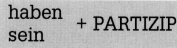

haben sein + PARTIZIP

PERFEKTFORMEN

*Die meisten Verben bilden das Perfekt mit **haben**.*

SINGULAR	1. PERSON	ich	habe	bestellt
	3. PERSON	er	hat	bestellt
		es	hat	bestellt
		sie	hat	bestellt
PLURAL	2. PERSON	Sie	haben	bestellt
	3. PERSON	sie	haben	bestellt
	1. PERSON	wir	haben	bestellt

*Einige Verben bilden das Perfekt mit **sein**.*

SINGULAR	1. PERSON	ich	bin	geflogen
	3. PERSON	er	ist	geflogen
		es	ist	geflogen
		sie	ist	geflogen
PLURAL	2. PERSON	Sie	sind	geflogen
	3. PERSON	sie	sind	geflogen
	1. PERSON	wir	sind	geflogen

PRÄSENS UND PERFEKT IM SATZ

Herr Spät **bestellt** das Steuerungsmodul.
Herr Spät **hat** das Steuerungsmodul **bestellt.**

Herr Lang **fliegt** heute nach Rom.
Herr Lang **ist** gestern nach Rom **geflogen.**

geantwortet
gelesen
bestellt
notiert

PARTIZIP

antworten	→ geantwortet
legen	→ gelegt
machen	→ gemacht
klappen	→ geklappt
suchen	→ gesucht
brauchen	→ gebraucht
haben	→ gehabt
dauern	→ gedauert
liefern	→ geliefert
danken	→ gedankt

-en → ge- -t

!

bringen	→ gebracht
kennen	→ gekannt

lesen	→ gelesen
laufen	→ gelaufen (sein)
sehen	→ gesehen
fahren	→ gefahren (sein)
kommen	→ gekommen (sein)
fallen	→ gefallen (sein)
finden	→ gefunden
liegen	→ gelegen
werden	→ geworden (sein)
sein	→ gewesen (sein)
sitzen	→ gesessen
gehen	→ gegangen (sein)
fliegen	→ geflogen (sein)
bleiben	→ geblieben (sein)
steigen	→ gestiegen (sein)

-en → ge- -en

bestellen	→ bestellt
bedienen	→ bedient
versuchen	→ versucht

-en → -t

bekommen	→ bekommen
beginnen	→ begonnen

-en → -en

telefonieren	→ telefoniert
servieren	→ serviert
notieren	→ notiert

-ieren → -iert

Herr Spät _____ eine Besprechung gehabt. Er _____ heute nachmittag oben gewesen.
Frau Hellmann _____ telefoniert. Dann _____ sie auch nach oben gegangen.
Wir _____ gestern den Bericht bekommen. _____ Sie ihn schon gelesen?
Herr Lang _____ heute morgen nach Rom geflogen. _____ Herr Klein nach Wien gefahren?
Nein, er _____ hier geblieben.

*Setzen Sie ins Perfekt (mit **haben** oder **sein**)!*
Herr Spät hat eine Besprechung. Frau Hellmann sammelt die Unterlagen für die Besprechung.
Herr Heuberger liest den Bericht und studiert den neuen Fertigungsplan. Er macht Notizen.
Frau Hellmann telefoniert noch einmal mit Siemens. Liefert die Firma das Modul termingerecht?

Die Firma Lombardi telefoniert mit Fürth und bittet um schnelle Lieferung. Die Nachfrage nach
ihren Produkten steigt schneller als erwartet. Herr Lang gibt zwar eine Zusage, aber er sieht
große Schwierigkeiten.

heute, morgen, gestern *ZEITANGABEN*

Dienstag	Mittwoch	Donnerstag	Freitag	Samstag
↓	↓	↓	↓	↓
vorgestern	gestern	heute	morgen	übermorgen

gestern morgen	heute morgen	morgen früh
gestern mittag	heute mittag	morgen mittag
gestern nachmittag	heute nachmittag	morgen nachmittag
gestern abend	heute abend	morgen abend
gestern nacht	heute nacht	morgen nacht

Vorgestern ist Herr Lang erst in Wien gewesen. Gestern morgen ist Herr Lang nach Rom geflogen. Er besucht dort einen guten Kunden. Die Fa. Lombardi hat vorgestern telefoniert; sie braucht dringend eine größere Prägemaschine. Sie hat zwar bereits mehrere Maschinen gekauft, aber die Nachfrage nach ihren Produkten ist stärker gestiegen als erwartet.

Ordinalzahlen

	1.	2.	3.	4.	5.	6.
der / das / die	erste	zweite	dritte	vierte	fünfte	sechste

	7.	8.	9.	10.	11.	12.
der / das / die	siebte	achte	neunte	zehnte	elfte	zwölfte

	13.	20.	30.	40.
der / das / die	dreizehnte	zwanzigste	dreißigste	vierzigste

	100.	500.	1000.
der / das / die	hundertste	fünfhundertste	tausendste

Ihre erste Maschine hat die Fa. Lombardi bereits 1973 gekauft. Jetzt bestellt sie schon die siebte Maschine. Am 12. Januar kommt ein Ingenieur von Lombardi nach Fürth. Es ist sein dritter Besuch bei Lang. Am 13. Januar fahren er und Herr Spät nach Sulzbach. Sie wollen dort das neue Werk besichtigen.

Das Datum

1992 — 1. Quartal — 2. Quartal — 3. Quartal — 4. Quartal

JANUAR

Woche	01	02	03	04	05
Mo		6	13	20	27
Di		7	14	21	28
Mi	1	8	15	22	29
Do	2	9	16	23	30
Fr	3	10	17	24	31
Sa	4	11	18	25	
So	5	12	19	26	

APRIL

Woche	14	15	16	17	18
Mo		6	13	20	27
Di		7	14	21	28
Mi	1	8	15	22	29
Do	2	9	16	23	30
Fr	3	10	17	24	
Sa	4	11	18	25	
So	5	12	19	26	

JULI

Woche	27	28	29	30	31
Mo		6	13	20	27
Di		7	14	21	28
Mi	1	8	15	22	29
Do	2	9	16	23	30
Fr	3	10	17	24	31
Sa	4	11	18	25	
So	5	12	19	26	

OKTOBER

Woche	40	41	42	43	44
Mo		5	12	19	26
Di		6	13	20	27
Mi		7	14	21	28
Do	1	8	15	22	29
Fr	2	9	16	23	30
Sa	3	10	17	24	31
So	4	11	18	25	

FEBRUAR

Woche	05	06	07	08	09
Mo		3	10	17	24
Di		4	11	18	25
Mi		5	12	19	26
Do		6	13	20	27
Fr		7	14	21	28
Sa	1	8	15	22	29
So	2	9	16	23	

MAI

Woche	18	19	20	21	22
Mo		4	11	18	25
Di		5	12	19	26
Mi		6	13	20	27
Do		7	14	21	28
Fr	1	8	15	22	29
Sa	2	9	16	23	30
So	3	10	17	24	31

AUGUST

Woche	31	32	33	34	35	36
Mo		3	10	17	24	31
Di		4	11	18	25	
Mi		5	12	19	26	
Do		6	13	20	27	
Fr		7	14	21	28	
Sa	1	8	15	22	29	
So	2	9	16	23	30	

NOVEMBER

Woche	44	45	46	47	48	49
Mo		2	9	16	23	30
Di		3	10	17	24	
Mi		4	11	18	25	
Do		5	12	19	26	
Fr		6	13	20	27	
Sa		7	14	21	28	
So	1	8	15	22	29	

MÄRZ

Woche	09	10	11	12	13	14
Mo		2	9	16	23	30
Di		3	10	17	24	31
Mi		4	11	18	25	
Do		5	12	19	26	
Fr		6	13	20	27	
Sa		7	14	21	28	
So	1	8	15	22	29	

JUNI

Woche	23	24	25	26	27
Mo	1	8	15	22	29
Di	2	9	16	23	30
Mi	3	10	17	24	
Do	4	11	18	25	
Fr	5	12	19	26	
Sa	6	13	20	27	
So	7	14	21	28	

SEPTEMBER

Woche	36	37	38	39	40
Mo		7	14	21	28
Di	1	8	15	22	29
Mi	2	9	16	23	30
Do	3	10	17	24	
Fr	4	11	18	25	
Sa	5	12	19	26	
So	6	13	20	27	

DEZEMBER

Woche	49	50	51	52	53
Mo		7	14	21	28
Di	1	8	15	22	29
Mi	2	9	16	23	30
Do	3	10	17	24	31
Fr	4	11	18	25	
Sa	5	12	19	26	
So	6	13	20	27	

Heute ist der 12. Juni.
Neujahr ist am 1. Januar.
Am 3. Oktober ist der Nationalfeiertag.

Wann ist Weihnachten?
Am 31.12. endet das Geschäftsjahr.
Am 7.11. habe ich Geburtstag.

Wann haben Sie Geburtstag?
Wann beginnt das 2. Quartal?
Nennen Sie wichtige Termine!

Wichtige Ereignisse

1445 _____ Johannes Gutenberg in Mainz das erste Buch mit beweglichen Lettern _____ (drucken).

1492 _____ Kolumbus Amerika _____ (entdecken).

1718 _____ Fahrenheit das Quecksilberthermometer _____ (erfinden).

Am 4. Juli 1776 _____ die Amerikaner ihre Unabhängigkeit _____ (erklären).

Am 14. Juli 1789 _____ die Französische Revolution _____ (beginnen).

1835 _____ in Deutschland die erste Eisenbahn von Nürnberg nach Fürth _____ (fahren).

Zwischen 1837 und 1842 _____ Samuel Morse den Telegrafen _____ (entwickeln).

Alfred Krupp _____ 1853 das erste nahtlose Eisenbahnrad aus Gußstahl _____ (produzieren).

Werner von Siemens _____ 1865 in Berlin die erste Rohrpost und 1879 die erste elektrische Lokomotive _____ (bauen).

1885 _____ Gottlieb Daimler in Stuttgart das erste Automobil _____ (bauen).

Der Arzt Wilhelm Conrad Röntgen _____ 1895 die Röntgenstrahlen _____ (entdecken) und 1901 den ersten Nobelpreis für Physik _____ (erhalten).

1897 _____ Rudolf Diesel den Dieselmotor _____ (entwickeln).

Albert Einstein _____ 1915 die allgemeine Relativitätstheorie _____ (formulieren).

1924 _____ der erste Zeppelin nach Amerika _____ (fliegen).

Willy Messerschmitt _____ 1941 das erste Raketenflugzeug _____ (bauen).

Im Juli 1969 _____ der erste Mensch auf dem Mond _____ (landen).

Am 9. November 1989 _____ die Berliner Mauer _____ (fallen).

Wann _____ Sie das Studium _____ (beginnen)?

Wo _____ Sie _____ (heiraten)?

Wann _____ Sie nach Deutschland _____ (kommen)?

Und was _____ Sie gestern _____ (machen)?

gearbeitet   gedruckt   gelesen   entdeckt   gefahren   erfunden

bekommen   erklärt   gekauft   geflogen   gelernt   begonnen

gekommen   formuliert   geschrieben   entwickelt   geschlafen

produziert   telefoniert   gebaut   gewesen   erhalten   gemacht

gelandet   gegessen   gefallen   geheiratet   geworden

Das Jubiläum

Herr Merker arbeitet schon 25 Jahre bei Lang. Heute ist sein Jubiläum. Seine Sekretärin, Frau Menke, will ihm Blumen kaufen. Sie geht ins Blumengeschäft. Die Floristin empfiehlt ihr weiße Tulpen. Aber sie gefallen Frau Menke nicht. Schließlich kauft sie ihrem Chef einen großen Strauß Nelken. Nachmittags ist eine kleine Feier. Da gibt sie Herrn Merker den Blumenstrauß. Herr Lang kommt auch. Er überreicht Herrn Merker 25 CDs. Herr Merker dankt der Geschäftsleitung und allen Mitarbeiterinnen und Mitarbeitern. Er spendiert Sekt und einen Imbiß für alle.

Markieren Sie im Text: die Personen, die Geschenke!

dem, der, den
einem, keiner, seinen *DATIV*

MASKULIN UND NEUTRUM SINGULAR

dem	neuen	Vertreter
einem	neuen	Mitarbeiter
keinem	neuen	Problem
meinem	neuen	Geschäft

-m + -en + –

seinem	neuen	Kunden
ihrem	neuen	Präsidenten
diesem	neuen	Herrn
welchem	neuen	Repräsentanten
jedem	neuen	Kollegen

-m + -en + (e)n

FEMININ SINGULAR

der	neuen	Maschine
einer	neuen	Floristin
keiner	neuen	Schwierigkeit
meiner	neuen	Studentin
dieser	neuen	Geschäftsleitung
welcher	neuen	Lieferung

-r + -en + –

PLURAL

den	neuen	Vertretern
	neuen	Problemen

-n + -en + -n

keinen	neuen	Maschinen
meinen	neuen	Kundinnen
diesen	neuen	Herren

-n + -en + –

welchen	neuen	Büros
allen	neuen	Chefs

-n + -en + –

Wem wollen Sie danken?
der Vertreter,   unsere Mitarbeiter,   Herr Spät,   die treuen Kunden,
die neue Chefin,   die freundlichen Gratulanten ...

mir, ihm, uns *PERSONALPRONOMEN – DATIV*

		NOMINATIV	DATIV
	1. PERSON	ich	mir
SINGULAR	3. PERSON	er	ihm
		es	ihm
		sie	ihr
	2. PERSON	Sie	Ihnen
PLURAL	3. PERSON	sie	ihnen
	1. PERSON	wir	uns

wem? *VERBEN MIT DATIV*

antworten / geantwortet
danken / gedankt
fehlen / gefehlt
gehören / gehört
gratulieren / gratuliert
helfen (hilft) / geholfen
nützen / genützt
schaden / geschadet
widersprechen (-spricht) / widersprochen

Bilden Sie Sätze!

Antworten Sie ! (ich)

Er widerspricht . (sie, die Partner)

Lange Lieferzeiten schaden . (sie, die Firma)

Hilft (Sie) eine Verkürzung?

Ist (er) die Arbeit gelungen?

 DATIV UND AKKUSATIV IM SATZ

Sie zeigt dem Besucher das Gebäude.
Er zeigt ihm das Gebäude.
Sie zeigt es dem Besucher.
Sie zeigen es ihm.

Bilden Sie Sätze!

Der Chef hört gern Musik. Wir schenken ihm eine CD.
Frau Seibel reist gern. Wir schenken ihr eine Reisetasche.

Herr Klein liest gern. Wir schenken ihm . (Buch)

Die Sekretärin mag Blumen. (Blumenstrauß)

Jürgen lernt Französisch. (Lexikon)

Herr Spät bastelt gern. (Werkzeugkasten)

Sabine hat noch kein Fahrrad.

Frau Merker hat einen Garten.

Peter möchte einen Fußball haben.

Herr und Frau Dormann trinken gerne Wein.

Ich gehe gern ins Theater.

Frau Menke will zum Jubiläum schenken. (ihr Chef / etwas)

Sie kauft . (er / ein großer Blumenstrauß)

Die Floristin empfiehlt . (sie / Tulpen)

Aber Frau Menke wählt . (Nelken)

Auch Herr Lang bringt . (der Jubilar / ein Geschenk)

Er schenkt . (er / 25 CD-Platten)

Herr Merker dankt . (die Geschäftsleitung und die Mitarbeiter)

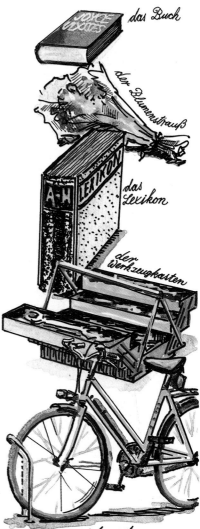

das Buch

der Blumenstrauß

das Lexikon

der Werkzeugkasten

das Fahrrad

Im Besprechungszimmer

Das ist das Besprechungszimmer.
Herr Spät ist jetzt mit den Herren Mitter und Heuberger hier.
Frau Hellmann serviert ihnen die Getränke.
Die Besprechung dauert lange.

Herr Mitter ist Ingenieur.
Er leitet das Konstruktionsbüro.
Er kommt mit seinem Werkstattmeister
ins Besprechungszimmer.
Er braucht Informationen von ihm.

Herr Heuberger ist Werkstattmeister.
Er arbeitet auch bei der Fa. Lang
und leitet die Werkstatt.

Herr Spät:	Herr Heuberger, welche Maschinen haben Sie gerade in Arbeit?
Herr Heuberger:	Zwei HT-10, eine PE-12/II U, eine RT-25/G-Universal und natürlich noch die fünf Abrollmaschinen.
Herr Spät:	Haben Sie noch Platz für eine M-CC-1?
Herr Heuberger:	Das ist schwierig. Sehen Sie eine Möglichkeit, Herr Mitter?
Herr Mitter:	Ja, ich sehe eine Möglichkeit. Bei der Teilefertigung schaffen wir es. Aber bei der Montage gibt es einen Engpaß.
Herr Spät:	Vielleicht können Sie ja Überstunden machen. Fragen Sie doch mal die Mitarbeiter!
Herr Mitter:	Gut. Ich rede mal mit den Mitarbeitern und auch mit dem Betriebsrat.
Herr Spät:	Tun Sie das, und geben Sie mir dann bitte sofort Bescheid!
Herr Mitter:	Ja, geht in Ordnung.
Herr Spät:	Nun der nächste Punkt...

Was ist | richtig | falsch | möglich | ?

richtig	falsch	möglich	
☐	☐	☐	Herr Spät und Herr Mitter sind im Besprechungszimmer.
☐	☐	☐	Frau Hellmann serviert Sekt.
☐	☐	☐	Der Werkstattmeister kommt ohne den Ingenieur.
☐	☐	☐	Es sind 8 Maschinen in Arbeit.
☐	☐	☐	Für die M-CC-1 ist kein Platz mehr.
☐	☐	☐	Die Montage-Arbeiter müssen Überstunden machen.
☐	☐	☐	Herr Heuberger muß mit dem Betriebsrat sprechen.
☐	☐	☐	Der Betriebsrat ist für Überstunden.

 Schreiben Sie eine Dialogskizze!

Spielen Sie den Dialog!

Spät	**Heuberger**	**Mitter**
Noch Platz für M-CC-1?	schwierig	Möglichkeit
		Teilefertigung ja
		aber Engpaß bei Montage

Hören Sie einen weiteren Dialog!
Was ist anders? Notieren Sie!

 BETONUNG

dáuert lánge léitet frágen schwíerig scháffen Káufkraft Éngpaß Órdnung Árbeit
árbeitet hóffentlich Überstunden Únterlagen Náchmittag Schnéllhefter Möglichkeit Flüssigkeit
Ápfelsaft Próbelauf Bétriebsrat Líefertermin Wérkstatt Wérkstattmeister Ábrollmaschine Téilefertigung
Stéuerungstechnik Sáchbearbeiterin
geráde sofórt Beschéid Termín Modúl Momént Expréss natürlich Getränke Montáge Verbráucher
Bespréchung Bespréchungszimmer
Ingeníeur Informatíon Konstruktíon Büró Konstruktíonsbüro

 ä *LANGES UND KURZES Ä*

tätig Herr Jäger europäisch Herr Spät
Prägemaschine wählen es beträgt prägen
vorrätig näher Aufträge Dänemark
schwäbisch westfälisch

Geschäft mittelständisch Städte Arbeitsgänge
Getränke

Ist der Vokal ä lang oder kurz? Lesen Sie laut!
Arbeitsgänge – Aufträge – Dänemark – Geschäft – Getränke – mittelständisch – näher – Prägemaschine –
tätig – vorrätig

V   *DAS STIMMLOSE V*

Vertreter von Verwaltung Vertrieb vier vorher vielleicht
verbinden vorhanden Vorwahl Vorschlag Verkauf vorrätig
verwenden Alpenvorland Wilhelmshaven Bremerhaven
Vilshofen Vogelsberg
Volkswagen

Lesen Sie laut!
Alpenvorland – Verkauf – Vertrieb – Verwaltung – vielleicht – vier – Vogelsberg – Volkswagen – vorhanden –
vorrätig – Vorwahl

 -tion   *T VOR DEM SUFFIX -ION*

Kalkulation Produktion international Investitionen Organisation

Lesen Sie laut!
Investitionen – Kalkulation – Organisation – Produktion – international – Intonation – Lektion

Bilden Sie so viele Komposita wie möglich!
Wo steht -s-, wo steht -n- ?
Setzen Sie den richtigen Artikel und bilden Sie den Plural!

Produktion-	zimmer
Konstruktion-	fertigung
Werkstatt-	unterlagen
Teile-	maschine
Abroll-	teil
Präge-	meister
Besprechung-	paß
Maschine-	büro
Eng-	rat
Über-	stunde
Betrieb-	

 haben   *+ AKKUSATIV OHNE ARTIKEL*

 Fragen und antworten Sie!
Haben Sie Zeit? Ja, ich habe Zeit. / Nein, ich habe keine Zeit.
Haben Sie Chancen, Kapital, Geld, Glück, Pech, Sorgen, Zweifel,
Platz für eine M-CC-1, etwas in Arbeit, Hunger, Durst?

bei, mit, nach, aus, zu, von

PRÄPOSITIONEN MIT DEM DATIV

Herr Klein ist bei Herrn Lang.

Bei der Montage gibt es einen Engpaß.

Herr Mitter kommt mit dem Werkstattmeister.
Herr Lang fährt mit dem Auto nach München.

Er kommt von der Besprechung.
Er kommt aus dem Besprechungszimmer.

Nach der Besprechung hat Herr Mitter noch einen Termin.

Herr Spät kommt aus seinem Büro.

Fliegt Herr Klein nach Wien?

14.30 Uhr Besprechung
16.30 Uhr Ende
16.35 Uhr Betriebsrat

vom, beim zum, zur

KONTRAKTIONEN

Herr Klein kommt **vom** Büro.

Er geht **zur** Besprechung.

Jetzt ist er **beim** Chef.

Dann fährt er **zum** Flughafen.

von + dem	= vom
bei + dem	= beim
zu + dem	= zum
zu + der	= zur

Sie kommen von der Arbeit
und gehen zum Parkplatz.

Fragen und antworten Sie!
Benutzen Sie: bei, mit, nach, aus, zu, von!

Woher kommen Sie? (Besprechung, Lager, Werkstatt, Büro, Stadt)
Mit wem sind Sie gekommen? (Kollegin, Herr / Frau, Freunde)
Sind Sie mit dem Flugzeug gekommen?
Von welcher Firma kommen Sie?
Bei wem wohnen Sie? (meine Eltern, Familie, Freund)
Bei welcher Firma arbeiten Sie?
Bei welcher Firma haben Sie vorher gearbeitet?
Wohin müssen Sie gehen? (Bank, Bahnhof, Einwohnermeldeamt, Post, Friseur, Arzt, Zahnarzt)
Wohin sind Sie gestern gegangen?
Wann können Sie zu uns kommen? (Dienstschluß, Konferenz)
Von wann bis wann machen Sie Urlaub?

Das Betriebsverfassungsgesetz

In Deutschland gibt es ein Betriebsverfassungsgesetz. Die Abkürzung lautet: BetrVG. Die amtliche Neufassung ist vom 23. Dezember 1988. Sie ist 1989 im Bundesgesetzblatt (BGBl) erschienen. Das BetrVG besteht aus acht Teilen.

Lesen Sie die Inhaltsübersicht!
Welche Wörter kennen Sie?

XIX. Betriebsverfassungsgesetz

Amtliche Neufassung vom 23. Dezember 1988 (BGBl 1989 I S. 1, ber. S. 902)

Erster Teil: Allgemeine Vorschriften

§ 1 Errichtung von Betriebsräten

In Betrieben mit in der Regel mindestens fünf ständigen wahlberechtigten Arbeitne... ... denen dre... ...hlbar sind, wer... ...räte gewählt.

Das BetrVG regelt die Mitbestimmung von Arbeitnehmern im Betrieb. Arbeitnehmer sind Arbeiter, Angestellte und Auszubildende. Alle Arbeitnehmer über 18 Jahre wählen den Betriebsrat.
Die Betriebsratswahlen sind alle 4 Jahre vom 1. März bis zum 31. Mai. Die Wahl ist geheim und direkt. Der Betriebsrat amtiert 4 Jahre.
Das Gesetz fordert die Zusammenarbeit von Arbeitgebern und Betriebsrat. Zum Beispiel muß der Betriebsrat seine Zustimmung zur täglichen Arbeitszeit geben. Das gleiche gilt für Beginn und Ende, aber auch für eine Verkürzung oder Verlängerung.

Der Text enthält Informationen zu den Themen:
1. Betriebsverfassungsgesetz
2.
3.

Fragen und antworten Sie!

1. **Betriebsverfassungsgesetz**

Wo gilt es?
Wie lautet die Abkürzung?
Wo ist es erschienen?
Wie viele Teile hat es?
Welche Aufgabe hat es?

2. **Betriebsrat**

Was sind Arbeitnehmer?
Wer wählt den Betriebsrat?
Wann sind Betriebsratswahlen?
Wie lange amtiert der Betriebsrat?

3. **Zusammenarbeit zwischen Arbeitgeber und Betriebsrat**
Wer regelt die tägliche Arbeitszeit?
Wer regelt notwendige Überstunden?

Trennen Sie folgende Komposita!
Oft hilft Ihnen das -s-.
Nennen Sie den Artikel!

Betriebsverfassungsgesetz
Betrieb/s/verfassung/s/gesetz – das Betriebsverfassungsgesetz
Neufassung
Inhaltsübersicht
Betriebsrat
Betriebsratswahlen
Arbeitszeit
Bundesgesetzblatt

Bilden Sie Substantive!

kurz – verkürzen (kürzer machen) – Verkürzung
lang – verlängern (länger machen) – Verlängerung

groß –

klein –

breit –

Markieren Sie den Text!
Schreiben Sie ein Texttelegramm!

Beginnen Sie:

In Deutschland – Betriebsverfassungsgesetz (BetrVG)
Neufassung: 23. 12. 1988 ...

Was sind die wichtigsten Informationen?
Bilden Sie Sätze!

Verwenden Sie die Verben:

amtieren	gelten (gilt, gegolten)
bestehen aus (bestanden)	genehmigen
erscheinen (ist erschienen)	lauten
fordern	regeln
	wählen

Sie kennen die Hauptinformationen aus dem Text.
Betrachten Sie die Grafik! Erklären Sie die Grafik!

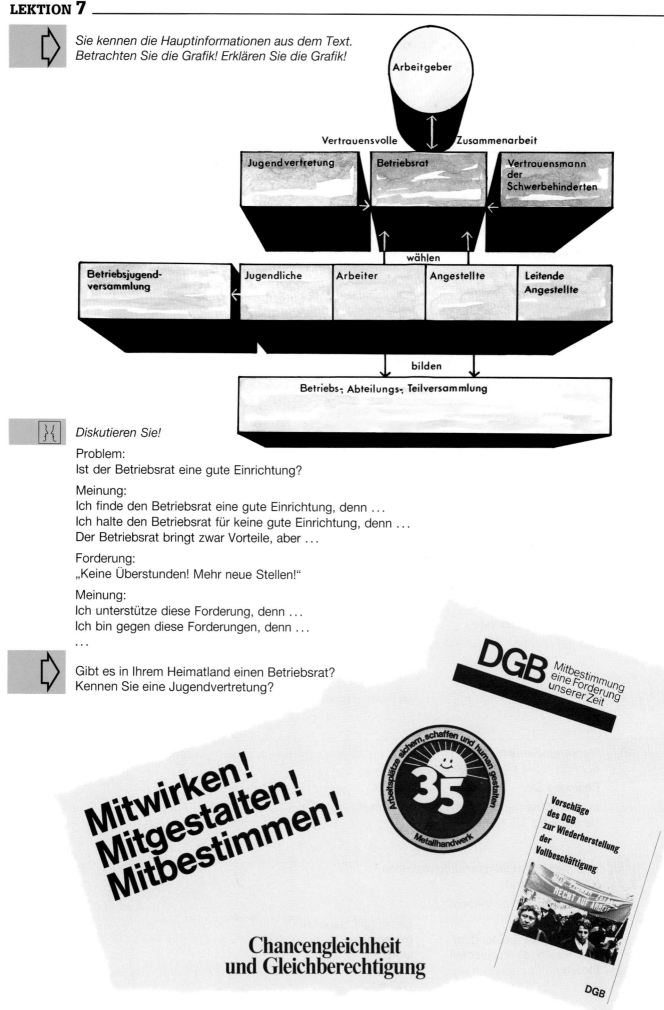

Diskutieren Sie!

Problem:
Ist der Betriebsrat eine gute Einrichtung?

Meinung:
Ich finde den Betriebsrat eine gute Einrichtung, denn ...
Ich halte den Betriebsrat für keine gute Einrichtung, denn ...
Der Betriebsrat bringt zwar Vorteile, aber ...

Forderung:
„Keine Überstunden! Mehr neue Stellen!"

Meinung:
Ich unterstütze diese Forderung, denn ...
Ich bin gegen diese Forderungen, denn ...
...

Gibt es in Ihrem Heimatland einen Betriebsrat?
Kennen Sie eine Jugendvertretung?

die Deutschen

SUBSTANTIVIERUNG VON ADJEKTIVEN UND PARTIZIPIEN

deutsch   – der Deutsche, ein Deutscher, die Deutsche, eine Deutsche, die Deutschen, Deutsche
krank   – der Kranke, ein Kranker, die Kranke, eine Kranke, die Kranken, Kranke

gesund   – der Gesunde ...   angestellt   –
jugendlich   – der Jugendliche ...   erwachsen   –
auszubildend – der Auszubildende ...   verletzt   –

Ergänzen Sie!

Ich kenne   Jugendlich   . Kennen Sie schon meine Bekannt   ?
Ich danke   Angestellt   . Kommen Sie mit   Abgeordnet   ?
Ich besuche   Krank   im Krankenhaus. Ist das   Verwandt   von Ihnen?
Ein Freund   hat den Unfall gesehen. War es ein Jugendlich   oder ein Erwachsen   ?
Nach dem Unfall hat man die Verletzt   ins Krankenhaus gebracht.
Unsere Firma hat über 600 Arbeiter und Angestellt   . Und wie viele Auszubildend   hat Sie?
Auch die Auszubildend   sind im Betriebsrat vertreten. Sein Vorsitzend   ist Herr Mühlens.

+ aus, + bei, + mit, + nach, + von, + zu

VERBEN MIT DATIVPRÄPOSITIONEN

aus	bei	mit
bestehen aus	bleiben bei	beginnen mit
folgen aus	helfen bei	experimentieren mit
	stören bei	handeln mit
		korrespondieren mit
		reden / sprechen mit

nach	von	zu
forschen nach	befreien von	führen zu
fragen nach	berichten von	gehören zu
suchen nach	handeln von	kommen zu
	reden / sprechen von	machen zu
		passen zu
		raten zu

Bilden Sie Sätze!

Herr Heuberger soll   (der Betriebsrat) sprechen.
Herr Heuberger soll mit dem Betriebsrat sprechen.
    (wie viele Teile) besteht die M-CC-1?
Sie besteht   (mehr als hundert Einzelteile).
Herr Spät fragt   (die Nummer und die Kosten) für dieses Teil.
Frau Hellmann sucht   (die Nummer).
Herr Spät spricht   (ein dringender Auftrag).
Die Auftragslage kann   (ein Engpaß bei der Montage) führen.
Frau Schneider korrespondiert   (die Firma Siemens).

Der Maschinenbau in Deutschland

Für die deutsche Industrie spielt der Maschinenbau eine wichtige Rolle. Er hat einen Produktionswert von ca. 200 Milliarden DM. Über eine Million Beschäftigte arbeiten in Maschinenbaufirmen. Nicht nur Großunternehmen, sondern auch Kleinbetriebe und mittelständische Unternehmen sind für die Maschinenproduktion von Bedeutung.

Maschinen gehören zu den Investitionsgütern. Das bedeutet: Dieser Wirtschaftszweig ist abhängig vom Wirtschaftswachstum und von der konjunkturellen Entwicklung allgemein.

Sein Ausfuhranteil beträgt 56 %. Einen besonders hohen Ausfuhranteil hat der Werkzeugmaschinenbau: nämlich ca. 65 %.

Ingenieure müssen ständig nach Verbesserungen und neuen Erfindungen suchen. Sonst sind diese Exporterfolge nicht möglich.

Welche Wörter markieren Sie?

Machen Sie eine Tabelle!

Produktionswert	Beschäftigte	Exportanteil	welche Unternehmen
ca. 200 Mrd.			

Welche Maschinen kennen Sie?

Bergbaumaschinen, Textilmaschinen, Schuhmaschinen, Nähmaschinen, Maschinen für die Nahrungs- und Genußmittelindustrie, Verbrennungsmaschinen, Landmaschinen, Maschinen für die Bauwirtschaft, Haushaltsmaschinen (z. B. Kaffeemaschine, Waschmaschine), Büromaschinen (Schreibmaschine), die M-CC-1.

Welche Maschinen brauchen Sie für Ihre Arbeit?

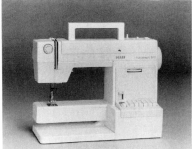

Das Problem mit der M-CC-1

Herr Spät kommt heute um 8.30 Uhr zu Herrn Lang.
Er bespricht mit ihm das Problem mit der M-CC-1 für Wien.
Aber Herr Lang hat nur eine viertel Stunde Zeit, denn
anschließend telefoniert er mit Herrn Barnes.

Robert Barnes ist der Direktor von Lang UK.
Er leitet die englische Niederlassung und vertritt
die deutsche Firma Lang in London.

Herr Lang:	Guten Morgen, Frau Haber. Wie geht's denn heute?
Frau Haber:	Guten Morgen, Herr Lang. Mir geht es gut, aber Ihr Terminkalender gefällt mir heute gar nicht.
Herr Lang:	Mal sehen. Was gibt es denn heute?
Frau Haber:	Um halb neun haben Sie ein Gespräch mit Herrn Spät, eine viertel Stunde später ein Telefonat mit Herrn Barnes.
Herr Lang:	Schon um Viertel vor neun? Die Zeit ist aber knapp. Wieviel Uhr haben wir jetzt?
Frau Haber:	Es ist Viertel nach acht. Sie haben noch etwas Zeit. Hier sind die Umsatzzahlen bis gestern.
Herr Lang:	Danke. Übrigens, hat Herr Spät eine Lösung für die M-CC-1 für Wien?
Frau Haber:	Ja, die Montageabteilung macht Überstunden.
Herr Lang:	Das ist ja prima.

INTONATION

Um halb neun haben Sie ein Gespräch mit Herrn Spät,

eine viertel Stunde später ein Telefonat mit John Barnes.

Es ist Viertel nach acht. Sie haben noch etwas Zeit.

Herr Spät hat eine Lösung für die M-CC-1 für Wien.

ö *LANGES UND KURZES Ö*

schön Lösung möglich	können öfter zwölf
größer erhöhen Möglichkeit	Möchten Sie Kaffee?
König Phönix Österreich	Köln Klöckner Göttingen
Böblingen Königstein	Röntgen Lörrach Görlitz

! Hoechst Goethe	Hoesch Moeller

Ist der Vokal ö lang oder kurz? Lesen Sie laut!

Goethe – Göttingen – größer – Hoechst – Hoesch – Klöckner – Köln – Königstein – können –
Lösung – Moeller – möglich – öfter – Österreich – Phönix – Röntgen – schön – zwölf

$b \rightarrow p, d \rightarrow t, g \rightarrow k$ *AUSLAUTVERHÄRTUNG*

deshalb ab Abteilung am liebsten es gibt Betrieb Schreibtisch
sind und dringend tausend Inland leid Landschaft südlich Konrad

Tag liegt heute mittag Zweig Flugzeug Katalog
Vorschlag Auftrag Nürnberg Hamburg

! Stadt

Lesen Sie laut!

geben – gibt	Aufträge – Auftrag
schreiben – Schreibtisch	Hamburger – Hamburg
Süden – südlich	Flugzeuge – Flugzeug
dringende Termine – dringend	liegen – liegt
Tage – Tag	lieber – am liebsten

-ig *AUSSPRACHE VON G IN -IG*

tätig zwanzig vorrätig wichtig eilig niedrig
billig wenig richtig Leipzig Geschwindigkeit
Unabhängigkeit

Lesen Sie laut!

wenige – wenig
ein eiliger Auftrag – eilig
niedrige Preise – billig
wichtige Termine – wichtig

Die Uhrzeit

Der Bahnbeamte sagt Ihnen: „Der Zug fährt um 9 Uhr 44."
„Der Zug fährt um 15 Uhr 59."

Frau Haber sagt zu ihrer Tochter: „Viertel nach acht"
„halb neun"
„Viertel vor neun"

Am Nachmittag sagt Herr Spät zu Herrn Klein: „14 Uhr 35" oder „fünf nach halb drei"
„16 Uhr 20" oder „zwanzig nach vier"

Zwölf Uhr

fünf vor eins — fünf nach zwölf
zehn vor eins — zehn nach zwölf
Viertel vor eins — Viertel nach zwölf
zwanzig vor eins — zwanzig nach zwölf
(zehn nach halb eins) — (zehn vor halb eins)
— fünf vor halb eins
fünf nach halb eins — halb eins

 Wieviel Uhr ist es?

0.00 Uhr	11.50 Uhr	20.00 Uhr
0.05 Uhr	12.00 Uhr	22.30 Uhr
2.15 Uhr	13.10 Uhr	23.55 Uhr
4.30 Uhr	19.30 Uhr	24.00 Uhr

 Von wann bis wann haben / hat

Ihr Arzt / Ihr Zahnarzt / Ihr Rechtsanwalt ...?   (Sprechstunden)
die Post / die Bahn / Ihre Bank ...?   (Schalterstunden)
Ihr Finanzamt / das Einwohnermeldeamt / das Bürgermeisteramt ...?   (Bürostunden)
das Blumengeschäft / das Restaurant / die Kneipe ...?   (Öffnungszeiten)

seit, ab *ZEITBEZUG*

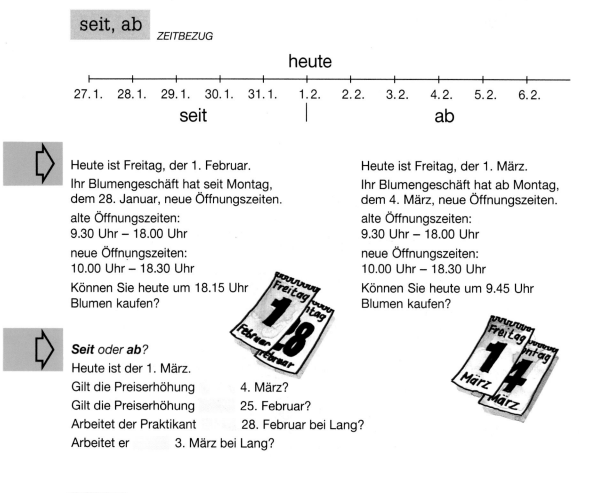

heute

| 27.1. | 28.1. | 29.1. | 30.1. | 31.1. | 1.2. | 2.2. | 3.2. | 4.2. | 5.2. | 6.2. |

seit | ab

▷ Heute ist Freitag, der 1. Februar.
Ihr Blumengeschäft hat seit Montag,
dem 28. Januar, neue Öffnungszeiten.

alte Öffnungszeiten:
9.30 Uhr – 18.00 Uhr

neue Öffnungszeiten:
10.00 Uhr – 18.30 Uhr

Können Sie heute um 18.15 Uhr
Blumen kaufen?

Heute ist Freitag, der 1. März.
Ihr Blumengeschäft hat ab Montag,
dem 4. März, neue Öffnungszeiten.

alte Öffnungszeiten:
9.30 Uhr – 18.00 Uhr

neue Öffnungszeiten:
10.00 Uhr – 18.30 Uhr

Können Sie heute um 9.45 Uhr
Blumen kaufen?

▷ *Seit oder ab?*
Heute ist der 1. März.
Gilt die Preiserhöhung _____ 4. März?
Gilt die Preiserhöhung _____ 25. Februar?
Arbeitet der Praktikant _____ 28. Februar bei Lang?
Arbeitet er _____ 3. März bei Lang?

 PASSIV

Wer tut etwas?

Was wird (von wem) (durch was) getan?

AKTIV
Robert Barnes **leitet** die Niederlassung
in London.
Die Firma verkauft **den Computer**.
(AKKUSATIV)

Der Monteur repariert die Maschinen.
(NOMINATIV)

Man repariert die Maschinen.

Die Post befördert den Brief.
(NOMINATIV)

PASSIV
Die Niederlassung in London **wird** von
Robert Barnes **geleitet**.
Der Computer wird von der Firma verkauft.
(NOMINATIV)

Die Maschinen werden **vom Monteur** (*PERSON!*)
repariert.   (von + DATIV)

Die Maschinen werden repariert.
(PERSON nicht wichtig!)
Die Briefe werden **durch die Post** (*keine PERSON!*)
befördert.   (durch + AKKUSATIV)

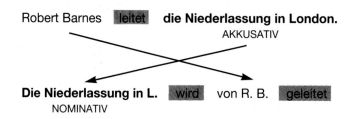

werden + INFINITIV   *FUTUR*

SINGULAR	1. PERSON	ich	werde	gefragt / gesehen
	3. PERSON	er es sie	wird	gefragt / gesehen
	2. PERSON	Sie	werden	gefragt / gesehen
PLURAL	3. PERSON	sie	werden	gefragt / gesehen
	1. PERSON	wir	werden	gefragt / gesehen
INFINITIV				gefragt / gesehen werden

Die Firma	verkauft		den Computer.	
Der Computer	wird	von der Firma		verkauft.
Die Firma	verkauft		ihn.	
Er	wird	von der Firma		verkauft.
Man	verkauft		ihn.	
Er	wird			verkauft.
Der Vertreter	soll		die Computer	verkaufen.
Der Ingenieur	kann		die Maschine	empfehlen.
Die Sekretärin	muß		den Bericht	schreiben.
Die Computer	sollen	(vom Vertreter)		verkauft werden.
Die Maschinen	können			empfohlen werden.
Der Bericht	muß			geschrieben werden.

Formulieren Sie im Passiv!
(Die Personen sind oft nicht wichtig!)

Der Chef diktiert den Brief an Firma Sturm.
Die Sekretärin schreibt ihn.
Sie kopiert den Brief.

Der Chef muß ihn unterschreiben (unterschreiben – unterschrieben).
Ein Auszubildender bringt die Briefe zur Post.

Die Angestellte wiegt und stempelt die Briefe (wiegen – gewogen; stempeln – gestempelt).
Die Angestellte schreibt die Gebühren ins Postbuch.
Die Post befördert den Brief.

Das Bankensystem in Deutschland

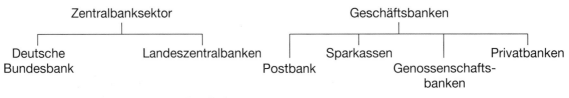

	Zentralbanksektor			Geschäftsbanken		
Deutsche Bundesbank		Landeszentralbanken		Sparkassen		Privatbanken

Postbank   Genossenschafts-
banken

Die Bundesbank in Frankfurt am Main

Das Bankensystem in Deutschland besteht aus dem Zentralbanksektor und den Geschäftsbanken. Zum Zentralbanksektor gehören die Deutsche Bundesbank und die Landeszentralbanken. Die Deutsche Bundesbank wird von einem Direktorium geleitet. Der Präsident, der Vizepräsident und weitere Mitglieder werden von der Bundesregierung bestimmt. Bei Entscheidungen muß der Zentralbankrat (Direktorium und Präsidenten von Landeszentralbanken) gehört werden. Die Mitglieder werden für 8 Jahre bestimmt. Die Deutsche Bundesbank unterstützt die staatliche Wirtschaftspolitik. Sie ist aber unabhängig von der Regierung. Sie überwacht die Kreditversorgung und sichert die Währungsstabilität. So können z.B. nur von der Bundesbank neue Banknoten ausgegeben werden. Durch eine Reihe von Maßnahmen, u. a. durch Diskontsatzerhöhung oder Diskontsatzsenkung, kann die umlaufende Geldmenge beeinflußt werden. Durch Senkung wird der Wirtschaft mehr Geld zur Verfügung gestellt, durch Erhöhung wird dem Markt Geld entzogen.

Unterstreichen Sie im Text alle Verben im Passiv!
Bestimmen Sie: Wer tut etwas? Von wem / durch was wird etwas getan?

Bilden Sie Komposita!
Setzen Sie den Artikel!

Bund -es-	- politik
Kredit-	- bank
Währung -s-	- erhöhung
Wirtschaft -s-	- versorgung
Vize-	- menge
Diskontsatz-	- präsident
Zentralbank-	- senkung
Geschäft -s-	- stabilität
Geld-	- sektor
Genossenschaft -s-	- rat

Führen Sie die Sätze zu Ende
Das Bankensystem in Deutschland besteht ...
Die Deutsche Bundesbank gehört zu ...
Sie unterstützt ...
Von der Bundesbank wird die Ausgabe von neuen ...
Durch Diskontsatzerhöhung oder -senkung kann
...

Industriestandorte in Deutschland

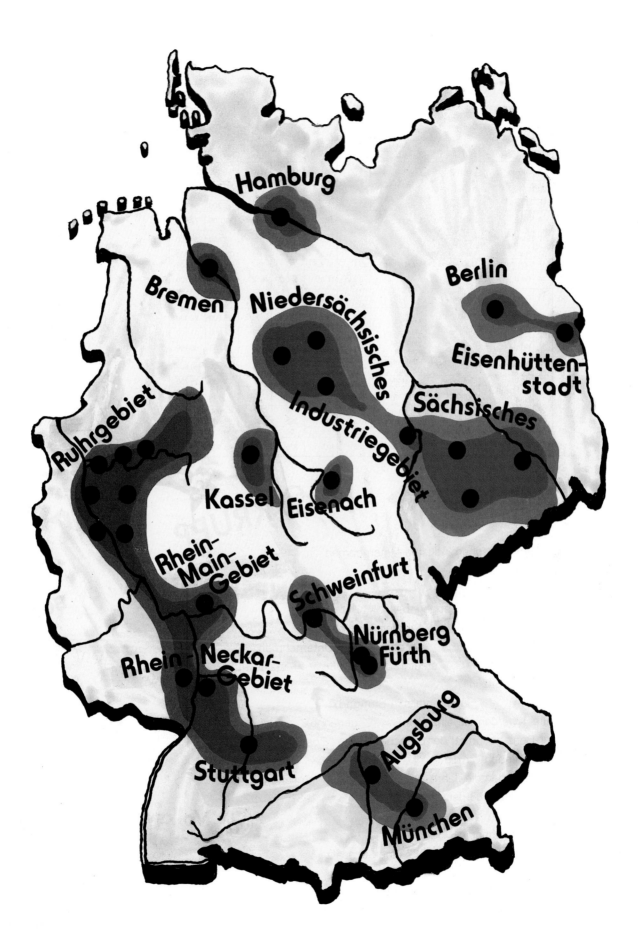

Industrieunternehmen in Deutschland

1		2	3	4	5		6		7	
Rang		Unternehmen	Sitz	Branche	Umsatz (Mrd DM)		Jahresüberschuß (Mio DM)		Beschäftigte (Zahl)	
1988	1987				1988	1987	1988	1987	1988	1987
1	1	Daimler-Benz	Stuttgart	Fahrzeuge/Elektro	73,5	67,5	1702	1782	338 700	326 300
2	3	Siemens	München	Elektro	59,4	51,4	1391	1275	353 000	359 000
3	2	Volkswagen	Wolfsburg	Auto	59,2	54,6	780	598	252 000	260 500
4	5	VEBA	Düsseldorf	Energie/Chemie	44,4	38,8	1188	1030	84 700	74 100
5	4	BASF	Ludwigshfn.	Chemie	43,9	38,9	1410	1051	134 800	133 800
6	7	Hoechst	Frankfurt/M.	Chemie	41,0	37,0	2015	1528	164 500	167 800
7	6	Bayer	Leverkusen	Chemie	40,5	37,1	1909	1544	165 700	164 400
8	9	Thyssen	Duisburg	Stahl/Masch./Handel	29,2	28,1	680	270	128 700	134 800
9	10	Bosch	Stuttgart	Elektro	27,7	25,4	554	825	165 700	161 300
10	8	RWE	Essen	Energie	26,9	27,2	766	779	72 100	72 800
11	12	BMW	München	Auto	24,5	19,5	450	k. A.	65 800	62 800
12	11	Ruhrkohle	Essen	Bergbau	20,7	20,3	−110	38	120 300	125 300
13	15	Mannesmann	Düsseldorf	Maschinen	20,4	16,7	292	134	121 800	113 300
14	14	Ford	Köln	Auto	19,2	17,0	545	810	49 500	47 100
15	13	Opel	Rüsselsheim	Auto	17,5	17,2	505	479	52 300	54 800
16	18	Metallgesellschaft	Frankfurt/M.	Metall/Anlagen	15,2	13,3	155	100	25 500	24 400
17	16	MAN	München	Maschinen	15,0	15,0	202	163	62 000	61 100
18	17	Krupp	Essen	Stahl/Maschinen	14,7	14,1	−202	42	63 400	65 200
19	19	Degussa	Frankfurt/M.	Edelmetalle/Chemie	13,6	11,7	146	121	32 400	30 800
20	22	Preussag	Hannover	Rohstoffe	11,4	10,4	117	102	25 500	29 700
21	20	IBM Deutschland	Stuttgart	Elektronik	11,4	11,6	645	545	30 700	30 500
22	27	Bertelsmann	Gütersloh	Verlag	11,3	9,2	360	207	42 000	42 000
23	26	Henkel	Düsseldorf	Chemie	10,3	9,3	352	292	36 400	34 700
24	31	Salzgitter	Salzgitter	Stahl	9,8	8,2	90	65	38 000	37 700
25	21	Deutsche Shell	Hamburg	Mineralöl	9,5	10,6	325	246	3 500	3 600

Die größten deutschen Industrie-Unternehmen

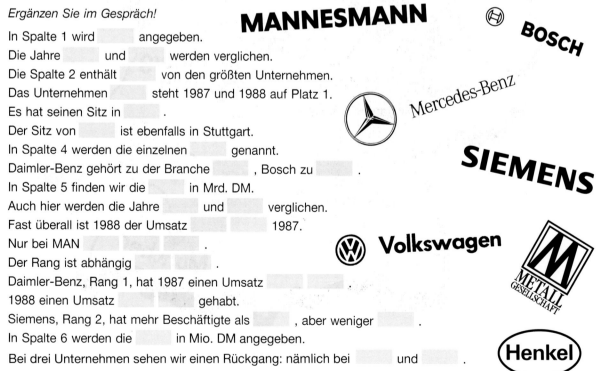

Ergänzen Sie im Gespräch!

In Spalte 1 wird _____ angegeben.

Die Jahre _____ und _____ werden verglichen.

Die Spalte 2 enthält _____ von den größten Unternehmen.

Das Unternehmen _____ steht 1987 und 1988 auf Platz 1.

Es hat seinen Sitz in _____.

Der Sitz von _____ ist ebenfalls in Stuttgart.

In Spalte 4 werden die einzelnen _____ genannt.

Daimler-Benz gehört zu der Branche _____, Bosch zu _____.

In Spalte 5 finden wir die _____ in Mrd. DM.

Auch hier werden die Jahre _____ und _____ verglichen.

Fast überall ist 1988 der Umsatz _____ 1987.

Nur bei MAN _____.

Der Rang ist abhängig _____.

Daimler-Benz, Rang 1, hat 1987 einen Umsatz _____.

1988 einen Umsatz _____ gehabt.

Siemens, Rang 2, hat mehr Beschäftigte als _____, aber weniger _____.

In Spalte 6 werden die _____ in Mio. DM angegeben.

Bei drei Unternehmen sehen wir einen Rückgang: nämlich bei _____ und _____.

Hören Sie zunächst die Sätze und vergleichen Sie mit der Tabelle!

Welche Sätze sind richtig, welche falsch?

	richtig	falsch
1.	☐	☐
2.	☐	☐
3.	☐	☐
4.	☐	☐
5.	☐	☐
6.	☐	☐
7.	☐	☐
8.	☐	☐
9.	☐	☐
10.	☐	☐

Lesen Sie dann die Sätze!
Verbessern Sie!

1. Hoechst hat seinen Sitz in Frankfurt.
2. Die BASF-Werke gehören zur Autobranche.
3. Der Umsatz von BMW hat 1988 19,5 Mrd. DM betragen.
4. Opel in Rüsselsheim hat 1988 einen Jahresüberschuß von 505 Millionen DM gehabt.
5. Die Deutsche Shell AG hat ihren Sitz in Hamburg.
6. Der Umsatz bei Krupp ist von 1987 bis 1988 nur um 0,6 % gestiegen.
7. Hoechst, Frankfurt, hat 1988 den höchsten Jahresüberschuß.
8. Die wichtigsten Autoproduzenten in Deutschland sind: Volkswagen, Ford, Opel.
9. Siemens hat 1988 weniger Beschäftigte als 1987.
10. Das Bergbauunternehmen Preussag, 1988 Platz 20, handelt mit Rohstoffen.

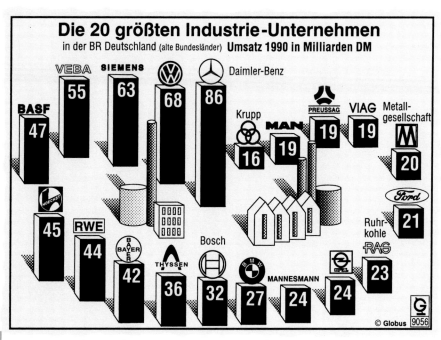

Die 20 größten Industrie-Unternehmen
in der BR Deutschland (alte Bundesländer) **Umsatz 1990 in Milliarden DM**

Vergleichen Sie die Zahlen von 1990 mit den Zahlen von 1988!

Die Bilanz

Welche Bilanzposten werden zu den Aktiva gezählt, welche zu den Passiva?

Bilanz zum 31. 12. 1991   **Otto Klinge GmbH**

Aktiva		Passiva	
Grund und Boden	72 300,—	Bankdarlehen	274 999,—
Gebäude	227 277,40	Wechsel	38 227,45
Maschinen	189 249,56	Verbindlichkeiten	103 674,22
Fahrzeug	23 646,—	Rückstellungen	64 222,—
Rohstoffe und Halbfabrikate	93 200,—	Eigenkapital	310 642,94
Fertigfabrikate	62 567,21		
Kundenforderungen	81 213,20		
Bankguthaben und Barmittel	42 312,24		
	791 765,61		791.765,61

Ein Arbeitstag von Herrn Lang

Das ist der Terminkalender von Herrn Lang.
Hier sehen wir die vielen Termine vom heutigen Tag.
Herr Lang hat ein volles Programm.

15. WOCHE
169. Tag
Juni 19 Arbeitstage
Vormerkungen

Juni 18
Dienstag

7.00
30
8.00
30
9.00 *Spät*
30 *Anruf Barnes*
10.00 *van Beeken*
30
11.00
30
12.00
30
13.00 *Essen Forsthaus*
30
14.00
30 *Patentanwalt*
15.00
30
16.00
30
17.00 *IHK / Export*
30
18.00
30
19.00
30
20.00 *Essen van Beeken*
Sondertermine

Herr van Beeken aus Amsterdam ist der
niederländische Leiter von Lang BENELUX.
Sein Flugzeug kommt um halb zehn an.
Ein Fahrer holt ihn vom Flughafen ab.

Herr Lang geht seinen Terminkalender durch.

Um 7.45 Uhr kommt Herr Lang in sein Büro, und bis 8.15 Uhr bespricht er die heutigen
Termine mit seiner Sekretärin. Zwischendurch gibt sie ihm die neuen Umsatzzahlen.

Um 8.30 Uhr hat er ein wichtiges Gespräch mit Herrn Spät, und etwa um 8.45 Uhr ruft
Robert Barnes aus London an.

Gegen 10.00 Uhr kommt Herr van Beeken aus Amsterdam.
Sein Flugzeug kommt um 9.25 Uhr an. Ein Fahrer holt ihn vom Flughafen ab.

Am späten Vormittag bespricht Herr Lang mit Herrn van Beeken die Auftragslage in den
Benelux-Ländern, und um 12.30 Uhr geht er mit ihm essen. Anschließend fährt Herr
Lang weg, denn um 14.45 Uhr hat er eine kurze Besprechung mit dem Patentanwalt.

Um 17.00 Uhr findet ein interessanter Vortrag bei der IHK über Exportfinanzierung statt.
Herr Lang fährt bereits um 16.20 Uhr vom Büro ab.

Um 20.00 Uhr geht Herr Lang mit Herrn van Beeken zum Abendessen.

⇨ *Schreiben Sie Ihren Terminkalender von heute!*

17 Juli
Mittwoch

Vormerkungen

☎

7.00
30
8.00
30
9.00
30
10.00 ✉
30
11.00
30
12.00
30
13.00
30
14.00 ✿
30
15.00
30
16.00
30
17.00
30
18.00
30
19.00
30
20.00

Sondertermine

⇨ *Sprechen Sie ganze Sätze zu den Notizen im Terminkalender!*

Herr Spät kommt ins Zimmer von Herrn Lang.
Herr Lang sitzt am Schreibtisch.
Auf dem Schreibtisch liegen viele Briefe.

Im Zimmer von Herrn Lang:
Herr Spät steht vor dem Schreibtisch.
Herr Lang legt eine Mappe auf den Schreibtisch.
Er bespricht mit Herrn Spät ein Problem.

Herr Spät:	Herr Lang, Sie wissen ja schon, die Montageabteilung macht Überstunden. Aber das ist keine Dauerlösung. Wir haben immer wieder Engpässe. Wir brauchen dringend Verstärkung in der Montage ... und auch in der Konstruktion.
Herr Lang:	Immer mehr Personal! Muß das denn sein? Die Kosten laufen uns davon.
Herr Spät:	Ich mache Ihnen eine Aufstellung über den Personalbedarf. Mit mehr Personal machen wir auch mehr Umsatz. Lange Lieferzeiten schaden uns sehr. Wir verlieren jetzt schon Kunden.
Herr Lang:	Das sehe ich ein. Also bringen Sie mir Ihre Aufstellung!

Hören Sie den Dialog noch einmal! Machen Sie jetzt Notizen!
Welche Argumente hat Herr Spät? Welche Argumente bringt Herr Lang?

 Spielen Sie ein Gespräch zwischen Herrn Lang und Herrn Spät!
Verwenden Sie folgende Stichworte:

Bedarf Überstunden keine Dauerlösung zu hohe Kosten
Kundenverlust Umsatz rationellere Arbeit Auftragslage

 Spielen Sie Dialogvarianten!

Herr Lang lehnt ab.
Herr Lang stimmt sofort zu.

 h HARTER UND BEHAUCHTER VOKALEINSATZ

ist ihn er Ordner Unterlagen eine ohne auch in es Arbeit Antrag Auskunft Elektroindustrie Erlangen als aber beachten Sie geeignet geantwortet	haben heute hier hoffentlich Frau Haber Herr Harnisch heißen hat Hamburg Frau Hellmann woher vorher deshalb Schnellhefter Johannes

! gehen Verzeihung näher höher sehen

 Lesen Sie laut!

Antrag – auch – Auskunft – beachten Sie – deshalb – Elektroindustrie – Erlangen – geantwortet – gehen – haben – heißen – heute – hoffentlich – ihn – Johannes – näher – ohne – Ordner – Schnellhefter – Unterlagen – Verzeihung – vorher – woher

 x, chs KONSONANTENKOMBINATION K + S

Telefax Textilindustrie Export Benelux flexibel Praxis Taxi Phönix Anzeigentext Nixdorf Luxemburg	sechs am höchsten der nächste Wirtschaftswachstum Umsatzzuwachs Sachsen Niedersachsen Wechsel Hoechst

 Lesen Sie laut!

am höchsten – Anzeigentext – der nächste – flexibel – Hoechst – Luxemburg – Niedersachsen – Praxis – Sachsen – sechs – Taxi – Telefax – Textilindustrie – Umsatzzuwachs – Wechsel – Wachstum

 ß STIMMLOSES S ALS ß GESCHRIEBEN

groß heißen ich weiß Außendienst Straßenfahrzeuge Anschluß Blumenstrauß
Engpaß anschließend Großunternehmen Genußmittelindustrie Straßburg Gießen Neiße Weißenfels

Lesen Sie laut!

anschließend – Außendienst – Blumenstrauß – Engpaß – Großunternehmen – heißen – Straßenfahrzeuge – Weißenfels

VERBEN MIT TRENNBARER VORSILBE

an-kommen	Herr van Beeken kommt heute an.
ab-holen	Der Fahrer holt ihn ab.
aus-sehen	Die Sache sieht gut aus.
an-rufen	Ich rufe Sie heute an.
durch-gehen	Herr Lang geht den Kalender durch.
ab-fahren	Wir fahren um 16.00 Uhr ab.
durch-schauen	Er schaut die Umsatzzahlen durch.

 SATZSTELLUNG BEI VERBEN MIT TRENNBAREN VORSILBEN

ankommen	Herr van Beeken	kommt	um 9.25 Uhr	an.
abholen	Ein Fahrer	holt	ihn vom Flughafen	ab.
anrufen	Etwa um 8.45 Uhr	ruft	Herr Barnes aus London	an.
stattfinden	Um 17.00 Uhr	findet	ein interessanter Vortrag	statt.
abfahren	Herr Lang	fährt	bereits um 16.20 Uhr von hier	ab.

 Fragen und antworten Sie!

Was haben Sie morgen vor? Wann stehen Sie auf? Was ziehen Sie an? Wann fahren Sie los? Halten Sie unterwegs an? Wann kommen Sie in der Firma an? Worüber denken Sie nach? Wann fangen Sie mit der Arbeit an? Wen rufen Sie zuerst an? Wann legen Sie eine Pause ein? Wo findet die Besprechung statt? Wer kommt mit? Was nehmen Sie mit? Wann geht es los? Wann hören Sie mit der Arbeit auf? Räumen Sie vorher Ihren Schreibtisch auf? Fahren Sie gleich zurück, oder kaufen Sie noch etwas ein?

 Wie heißen die Verben mit trennbarer Vorsilbe im Infinitiv?

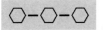 *SATZSTELLUNG BEI TRENNBAREN VERBEN MIT MODALVERBEN*

Müssen Sie jeden Tag um 6.00 Uhr aufstehen? Nein, sonntags kann ich ausschlafen.

Ich	muß	morgens schon um 5.00 Uhr	aufstehen.
Herr Lang	will	einen Geschäftsfreund	mitbringen.
Der Fahrer	kann	Herrn van Beeken	abholen.
	Sollen	wir Sie heute noch	anrufen?
Herr Lombardi	möchte	gerne	herkommen.
	Darf	ich Ihnen unseren Herrn Mager	vorstellen?
Die Fa. Sturm	möchte	die M-CC-1 selbst	abholen.

PARTIZIP DER TRENNBAREN VERBEN

vorhaben	→	vorgehabt
aufstehen	→	aufgestanden (sein)
anziehen	→	angezogen
losfahren	→	losgefahren (sein)
anhalten	→	angehalten
ankommen	→	angekommen (sein)
nachdenken	→	nachgedacht
anfangen	→	angefangen
anrufen	→	angerufen
einlegen	→	eingelegt
stattfinden	→	stattgefunden
mitkommen	→	mitgekommen (sein)
mitnehmen	→	mitgenommen
aufhören	→	aufgehört
aufräumen	→	aufgeräumt
zurückfahren	→	zurückgefahren (sein)
einkaufen	→	eingekauft
mitbringen	→	mitgebracht
abholen	→	abgeholt
herkommen	→	hergekommen (sein)
vorstellen	→	vorgestellt
einladen	→	eingeladen

TRENNBARE VERBEN IM PERFEKT

Wann ist Herr Klein losgefahren?
Herr Barnes hat heute morgen angerufen.

Ergänzen Sie!

Gestern bin ich um 6.30 Uhr aufgestanden. Um 7.30 Uhr bin ich losgefahren.

Unterwegs habe ich   und mir eine Zeitung gekauft. Um 8.00 Uhr bin ich in der Firma   und habe gleich danach mit der Arbeit   . Zuerst habe ich meinen Chef   . Er hat mich zu einer Besprechung   . Sie hat am Nachmittag   . Aber vorher habe ich eine Mittagspause   . Zur Besprechung habe ich die neuen Pläne zur Produktionssteigerung   . Erst nach 17.30 Uhr habe ich mit der Arbeit   . Meinen Schreibtisch habe ich aber nicht mehr   . Ich bin auch nicht gleich nach Hause   , sondern habe erst einige Sachen in der Stadt   .

TRENNBARE VERBEN

ankommen anrufen abholen abfahren aussehen durchgehen durchschauen
Sein Flugzeug kommt um 9 Uhr an.   Wie sieht es denn heute aus?   Herr Barnes ruft aus England an.
Herr van Beeken kommt heute an. Der Fahrer holt ihn ab. Die Sache sieht gut aus. Ich rufe Sie heute an.
Wir fahren um 16 Uhr ab.

TRENNBARE VERBEN IM PASSIV

Von wem wird Herr van Beeken abgeholt?
Das Steuerungsmodul wird heute noch bestellt.

Die Industrie- und Handelskammer

IHK ist die Abkürzung für „Industrie- und Handelskammer". Die Industrie- und Handelskammern sind Selbstverwaltungsorgane von Wirtschaftsunternehmen. Alle Unternehmen sind zwangsweise Mitglied in der zuständigen IHK. Die Firma Konrad Lang ist Mitglied in der IHK Fürth. Die IHK berät ihre Mitglieder und informiert sie über aktuelle Themen. Sie vertritt ihre Interessen nach außen und organisiert Informationsveranstaltungen und Messen. Außerdem hilft sie bei der Erstellung von Gutachten und nimmt die Abschlußprüfungen für Auszubildende (Lehrlinge) ab. Alle Industrie- und Handelskammern in Deutschland sind in einem Dachverband zusammengeschlossen, dem Deutschen Industrie- und Handelstag (abgekürzt: DIHT).

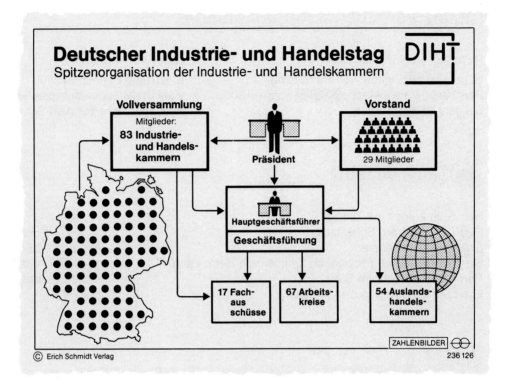

Markieren Sie die Wortgrenzen:
Selbstverwaltungsorgan, Abschlußprüfung, Dachverband, Handelskammer, Industrie- und Handelstag.

Fragen und antworten Sie!

Was bedeuten die Abkürzungen IHK und DIHT?
Was für Leistungen bietet die IHK ihren Mitgliedern?
Gibt es ähnliche Institutionen in Ihrem Heimatland?
Gibt es dort einen Zwang zur Mitgliedschaft?

. . .

bis *PRÄPOSITION*

Herr Spät wartet bis Dienstag.
Frau Hellmann arbeitet bis 17.00 Uhr.
Herr Klein fährt bis München.
Herr Mitter wartet bis zum 1. April.
Er fährt bis zur nächsten Station.
Der Betrieb ist vom 23.12. bis zum 5.1. geschlossen.

in, an, vor, über, unter, auf, hinter *WECHSELPRÄPOSITIONEN*

Richtung: wohin? + AKKUSATIV

Er geht in das Zimmer von Herrn Lang.
Herr Lang legt die Mappe auf den Schreibtisch.
Sie geht an das Fenster.

Lage: wo? + DATIV

Er sitzt am Schreibtisch.
Viele Briefe liegen auf dem Schreibtisch.
Herr Spät steht vor dem Schreibtisch.

ins, ans, im, am *KONTRAKTIONEN*

Herr Spät kommt **ins** Zimmer.
Herr Lang sitzt **am** Schreibtisch.
Sie gehen **ans** Fenster.
Sie besprechen ein Problem **im** Zimmer von Herrn Lang.
Herr Mitter ist nicht **im** Büro.
Er ist **auf** dem Weg in die Werkstatt.

in	+	dem	=	im
an	+	dem	=	am
in	+	das	=	ins
an	+	das	=	ans

 LAGE UND RICHTUNG – PRÄPOSITIONEN MIT DATIV BZW. AKKUSATIV

Herr Lang ist beim Patentanwalt. Seine Praxis liegt mitten **in der** Stadt.
Der Anwalt schickt die Unterlagen **ans** Patentamt.

Wohin bringt Frau Hellmann die Getränke? Sie bringt sie **ins** Besprechungszimmer.
Wohin legt Herr Klein den Katalog? Er legt ihn **auf den** Schreibtisch.

Wo liegt der Katalog? Er liegt **auf dem** Schreibtisch.
Wo ist Herr Mitter? Er ist **in der** Werkhalle.

Herr Spät geht **ins** Besprechungszimmer.
Herr Lang und Herr Klein sind bereits **im** Besprechungszimmer.

Lage und Richtung – Suchen Sie Verben!

Wo? – Wohin?

liegen – legen   sitzen – setzen
stehen – stellen   sein – fahren
...

Setzen Sie die Präpositionen ein!

Herr Lang fährt   Patentanwalt   Stadt.   Anwaltspraxis besprechen Sie die Patent-
anmeldung. Dann will der Anwalt die erforderlichen Unterlagen zur Anmeldung   Patentamt schicken.
Der Vortrag über Exportfinanzierung findet   IHK statt. Alle IHKs in Deutschland sind   Dachverband zusammengeschlossen. Am Abend treffen sich Herr Lang und Herr van Beeken   Hotel
Forsthaus. Dort gehen sie zum Abendessen   Restaurant.

Patente

Die Fa. Konrad Lang meldet ein _____ an. Es geht um eine neuartige _____ für Codierfolien. Herr Lang möchte die _____ anmelden. Das Patentamt führt ein _____ durch. Bedingungen für die Genehmigung von _____ sind der technische Charakter, die Ausführbarkeit, die _____ und die Nützlichkeit. Die _____ für ein _____ beträgt 18 Jahre.

Suchen Sie die richtigen Wörter für die Lücken:
Prüfungsverfahren, Prägemaschine, Schutzdauer, Wiederholbarkeit, Patent, Erfindung.

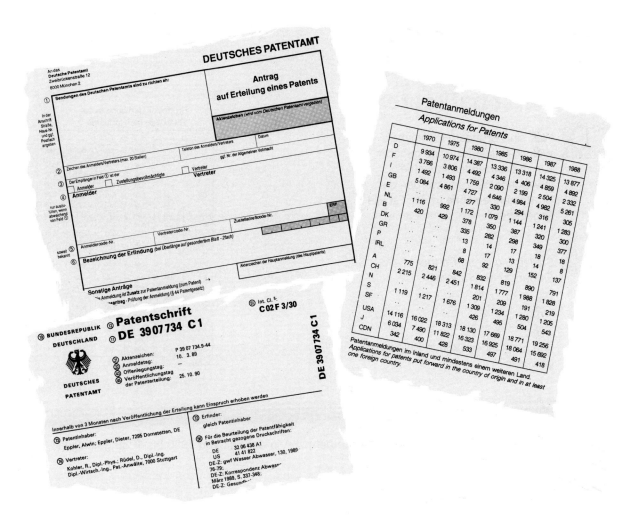

Fragen und antworten Sie!
Welche Zahlen finden Sie interessant?
Kennen Sie Patentanmeldungen aus Ihrer Firma oder aus Ihrem Heimatland?

Berufe
Nationalitäten *OHNE ARTIKEL*

Herr Müller ist Patentanwalt.
Herr Klein ist Vertreter.
Herr Baumann ist Ingenieur.

Wer ist Abteilungsleiter Prägemaschinen?
Herr Spät ist Abteilungsleiter Prägemaschinen.
Ist Frau Hellmann Personalchefin?
Nein, sie ist Sachbearbeiterin.

Herr Barnes ist Engländer.
Herr van Beeken ist Niederländer.
Herr Lang ist Deutscher.

Ist Frau Kanaya Schweizerin?
Nein, sie ist Japanerin.
Wer ist Deutsche?
Frau Schneider ist Deutsche.

Fragen und antworten Sie!

Wer ist Lehrer?
Wer ist Kaufmann?

…

Was ist Herr Mitter?

…

Wer ist Deutscher?
Wer ist Spanierin?

…

Was sind Sie?

…

Personalkosten

Was sind Bruttostundenlöhne?
Welche Industriezweige gehören
zur verarbeitenden Industrie?
In welcher Währung werden die
Bruttostundenlöhne in der Tabelle
angegeben?

**Bruttostundenlöhne in der
Verarbeitenden Industrie**

	1970	1975	1980	1985	1988	1989
D	1,70	3,98	7,36	5,55	10,52	10,25
F	1,07	2,78	5,26	4,29	7,07	6,84
I	1,01	2,39	4,64	4,14	7,30	7,60
GB	1,32	2,79	5,61	4,67	8,06	8,97
E	0,57	1,82	4,03	3,41	6,53	6,70
NL	1,33	3,96	7,21	5,06	9,00	8,63
B	1,33	4,02	7,70	5,05	8,47	8,24
DK	2,03	5,67	9,33	6,77	13,07	12,44
GR	0,54	2,06	2,36	2,30	3,25	3,38
P	..	..	1,46	1,06	1,93	2,00
IRL	1,02	2,44	5,10	4,44	7,47	7,22
A	0,81	2,28	4,42	3,88	7,40	7,24
CH	1,52	4,37	8,15	7,06	13,07	12,17
N	1,85			7,31	12,48	11,27
S	2,35	5,17	7,93	5,75	9,94	10,39
SF	1,21	3,17	5,34	5,19	9,45	10,14
USA	3,36	4,81	7,25	9,52	10,17	10,47
J	0,94	2,92	5,41	6,27	12,40	12,18
CDN	2,88	4,98	7,01	8,45	10,46	11,42

US-Dollar.

*Stellen Sie Ihrem Partner
Fragen zu der Tabelle!*

Wie hoch ist der Bruttostundenlohn
1970 in Deutschland gewesen?
Der Stundenlohn hat $ 1,70 betragen.

Wie hoch ist er 1980 in Belgien
gewesen?

…

Auf wieviel ist der Bruttostundenlohn in Deutschland in der Zeit von 1970 bis 1988 gestiegen?
Er ist von $ 1,70 (1970) auf $ 10,52 (1988) gestiegen.

Auf wieviel ist der Bruttostundenlohn in den USA in der Zeit von 1980 bis 1988 gestiegen?

Um wieviel ist der Stundenlohn von 1986 bis 1988 in Großbritannien gestiegen?
Er ist um $ 2,34 gestiegen.

…

In welchen Ländern ist der Bruttostundenlohn am höchsten?
In welchen Ländern ist er am meisten gestiegen?

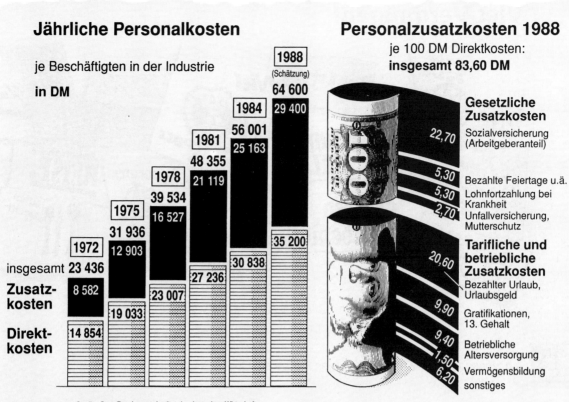

Jährliche Personalkosten

je Beschäftigten in der Industrie

in DM

1988 (Schätzung) **64 600** | 29 400
1984 **56 001** | 25 163
1981 **48 355** | 21 119
1978 **39 534** | 16 527
1975 **31 936** | 12 903
1972 insgesamt **23 436** | Zusatzkosten 8 582 | Direktkosten 14 854
19 033
23 007
27 236
30 838
35 200

DIE ZEIT/GLOBUS Quelle: Stat. Bundesamt, Institut der deutschen Wirtschaft

Personalzusatzkosten 1988

je 100 DM Direktkosten:
insgesamt 83,60 DM

Gesetzliche Zusatzkosten
22,70 Sozialversicherung (Arbeitgeberanteil)
5,30 Bezahlte Feiertage u.ä.
5,30 Lohnfortzahlung bei Krankheit
2,70 Unfallversicherung, Mutterschutz

Tarifliche und betriebliche Zusatzkosten
20,60 Bezahlter Urlaub, Urlaubsgeld
9,90 Gratifikationen, 13. Gehalt
9,40 Betriebliche Altersversorgung
1,50 Vermögensbildung
6,20 sonstiges

Das Institut der deutschen Wirtschaft berechnet jedes Jahr die Personalzusatzkosten. Danach erreichten die Personalzusatzkosten im vergangenen Jahr einen neuen Höchststand: 29 400 Mark mußten die Industriebetriebe durchschnittlich noch auf die Löhne und Gehälter drauflegen. Damit kommen die Zusatzkosten auf 83,60 DM je hundert DM Direktkosten. Die Personalzusatzkosten sind im Dienstleistungssektor mit 81,9 Prozent etwas niedriger. Der Bankensektor und das Versicherungsgewerbe überschreiten diesen Durchschnitt allerdings erheblich. Seit 1972, so ermittelte das Institut der deutschen Wirtschaft, sind die Personalkosten zwar weiter gestiegen, doch hat sich das Anstiegstempo deutlich verringert. Die Zusatzkosten aber steigen überproportional: Während die gesamten Personalkosten zwischen 1966 und 1988 im Jahresdurchschnitt um 7,5 Prozent stiegen, erhöhten sich die Zusatzkosten um 9,5 Prozent.

Fragen Sie Ihren Partner!

Wie hoch sind die jährlichen Personalkosten 1972 in der Industrie?
Wie hoch sind die Personalzusatzkosten 1972 im Verhältnis zu den gesamten Personalkosten?
Welche Personalzusatzkosten gibt es in Ihrem Heimatland?

Lesen sie den Originaltext und beantworten Sie folgende Fragen:

Wieviel Mark müssen die Industriebetriebe und Unternehmen 1988 auf die Löhne und Gehälter „drauflegen"?
Wie hoch sind die Personalzusatzkosten durchschnittlich in der Industrie?
Wie hoch sind sie im Dienstleistungsbereich?

was für   *FRAGE UND AUSRUF*

Was für ein Chef ist Herr Lang?
Was für einen Wagen hat er?
In was für einem Büro arbeitet er?
Mit was für Menschen arbeitet er gern?
Über was für ein Thema spricht er mit seinen Mitarbeitern?
Was für einen Wein probiert er?

Was für ein schöner Tag!
Was für eine große Halle!

Viel Vergnügen!

 Ich wünsche Ihnen / meinen Kollegen / unserem Chef
...

 Wann sagen Sie
Guten Appetit
Prosit
Auf Ihr Wohl!
Herzlichen Glückwunsch zum Geburtstag
zum bestandenen Examen
zum erfolgreichen Geschäftsabschluß ...?

 Was sagen Sie in folgenden Situationen?
Sie gehen mit Herrn van Beeken essen.
Ihre Kollegin hat Geburtstag.
Heute ist der 1. Januar.
Ihr Nachbar hat das Examen bestanden.
Sie haben einen Kollegen zu einem Glas Wein eingeladen.
Herr Lang fliegt morgen nach Rom.
Es ist Freitag und Sie hören mit der Arbeit auf.
Herr Klein fährt drei Wochen in Urlaub.
Ihre Kollegin geht heute abend auf eine Party.
Herr Mitter ist krank.
Frau Schneider fährt mit dem Auto nach Leipzig.
Nach langen Verhandlungen hat Herr Klein den Auftrag erhalten.
Herr Spät reist morgen nach Zürich.
Sie bringen einen Besucher abends zu seinem Hotel.
Herr Klein fährt zu einem Kunden; die Verhandlungen sind schwierig.
Ein Kollege von Ihnen hat morgen eine Prüfung.

Neue Mitarbeiter gesucht!

Herr Lang:	Also, Sie brauchen drei neue Facharbeiter für die Montage.
Herr Spät:	Ja, und zwei Ingenieure für die Konstruktion.
Herr Lang:	Was? Zwei? Ich denke, Sie brauchen nur einen! Warum denn jetzt zwei?
Herr Spät:	Ja ... ein Mitarbeiter von Herrn Mitter geht zu einer anderen Firma, weil er dort eine sehr interessante Aufgabe übernehmen kann.
Herr Lang:	Wer ist es denn?
Herr Spät:	Herr Baumann.
Herr Lang:	Oh, ausgerechnet Herr Baumann. Es ist sehr schade, daß Herr Baumann uns verläßt.
Herr Spät:	Ich bedaure das auch. Herr Baumann ist ein sehr tüchtiger Ingenieur und ein geschätzter Mitarbeiter.
Herr Lang:	Finden wir für ihn schnell geeigneten Ersatz?
Herr Spät:	Das ist gar nicht so leicht. Sie wissen ja: der ideale Mitarbeiter ist flexibel, jung, einsatzfreudig, belastbar, dynamisch und ideenreich. Er spricht mehrere Fremdsprachen und hat EDV-Kenntnisse. Er hat Auslandserfahrung und viele Jahre Berufspraxis. Und außerdem arbeitet er täglich zwölf Stunden ohne Murren und ist nie krank.
Herr Lang:	Nun, Herr Spät, bleiben Sie ernsthaft!
Herr Spät:	Ja, ich weiß, ich weiß.
Herr Lang:	Wir besprechen das gleich mit der Personalabteilung. Ich rufe Frau Maiwald an.

Diskutieren Sie!

Wie sieht für Sie der ideale Mitarbeiter aus?

Suchen Sie Gegensätze!

jung – alt, ideenreich – ideenarm, gesund – krank ...

Das ist Frau Maiwald.
Sie ist Personalchefin der Firma Lang.
Frau Maiwald ist für Ausschreibungen
und Einstellungen zuständig.

Herr Lang:	Ja, Frau Maiwald, wie kommt es, daß Herr Baumann so plötzlich kündigt? Ist der Grund das Gehalt oder das Betriebsklima?
Frau Maiwald:	Nein, er hat ganz persönliche Gründe. Er ist ein Autonarr und will unbedingt schnelle Autos konstruieren. Außerdem wohnt seine jetzige Lebensgefährtin in München. Deshalb geht er zu einer Münchner Firma.
Herr Lang:	Ach so! Das ist verständlich. Was schlagen Sie vor?
Herr Spät:	Ich schlage vor, daß wir die Stelle so schnell wie möglich ausschreiben.
Frau Maiwald:	Wir müssen aber zwei Ingenieure einstellen.
Herr Spät:	... und die Facharbeiter dürfen wir auch nicht vergessen. Sollen wir zwei getrennte Anzeigen aufgeben?
Frau Maiwald:	Ja, die Stellen für die Ingenieure müssen wir überregional ausschreiben, die Stellenanzeigen für die Facharbeiter können wir hier lokal plazieren. Wir setzen sie in die Nürnberger Nachrichten.
Herr Lang:	Also machen wir Nägel mit Köpfen. Ich bin einverstanden, daß wir erst mal zwei Facharbeiter einstellen.
Herr Spät:	Aber die zwei Ingenieure muß ich haben, denn der eine ist ja nur Ersatz für Herrn Baumann, und den anderen brauchen wir, weil wir so viele Aufträge haben.
Herr Lang:	Also gut, Frau Maiwald, entwerfen Sie den Anzeigentext zusammen mit Herrn Spät! Der Anzeigenschluß für die Wochenendausgabe ist schon übermorgen. Legen Sie mir den Text bitte vorher noch einmal vor!

Frau Haber öffnet die Tür.

Frau Haber:	Herr Lang, Herr van Beeken ist da.

Notieren Sie in Stichworten!

den Vorschlag von Herrn Spät,
den Vorschlag von Frau Maiwald,
die Entscheidung von Herrn Lang!

Was ist

richtig	falsch	möglich	?
☐	☐	☐	Herr Spät fordert drei neue Ingenieure.
☐	☐	☐	Herr Lang bedauert die Kündigung von Herrn Baumann.
☐	☐	☐	Herr Baumann hat gekündigt, weil er in einer anderen Stadt arbeiten will.
☐	☐	☐	Herr Baumann hat fünf Jahre bei der Fa. Lang gearbeitet.
☐	☐	☐	Der ideale Mitarbeiter hat Auslandserfahrung und spricht mehrere Fremdsprachen.
☐	☐	☐	Die tägliche Arbeitszeit bei der Fa. Lang beträgt 12 Stunden.
☐	☐	☐	Frau Maiwald ist Sachbearbeiterin in der Personalabteilung.
☐	☐	☐	Herr Baumann hat nicht nur persönliche Gründe für seine Kündigung.
☐	☐	☐	Herr Lang will nur zwei Facharbeiter einstellen.
☐	☐	☐	Die Firma schreibt die Stellen für die Facharbeiter überregional aus.
☐	☐	☐	Die Nürnberger Nachrichten sind eine überregionale Zeitung.
☐	☐	☐	Frau Maiwald und Herr Spät wollen, daß Herr Lang der Einstellung von zwei Ingenieuren zustimmt.
☐	☐	☐	Dieses Gespräch zwischen Frau Maiwald, Herrn Spät und Herrn Lang findet an einem Dienstag statt.
☐	☐	☐	Herr Lang kann den Anzeigentext nicht mehr prüfen.

Wie findet eine Firma die besten Mitarbeiter?
Suchen Sie die verschiedenen Möglichkeiten und bewerten Sie
sie von 1 (beste Möglichkeit) bis 8 (schlechteste Möglichkeit)!

☐ Die Personalabteilung studiert Zeitungsinserate.

☐ Die Firma schreibt freie Stellen in vielgelesenen Zeitungen aus.

☐ Sie folgt den Empfehlungen von anderen Firmen.

☐ Sie bildet selbst ihren Nachwuchs aus.

☐ Sie wirbt Mitarbeiter bei anderen Firmen ab.

☐ Sie wartet auf zufällige Bewerbungen.

☐ Sie geht zu einer Unternehmensberatung.

☐ Sie fragt beim Arbeitsamt an.

Ihr Vorschlag? ...

Bundesanstalt für Arbeit

Wir sind ein Unternehmen, das im Bereich des nationalen und internationalen Handels und der Vermietung von schienengebundenen Transportmitteln, Ausrüstungs- und Zubehörteilen tätig ist.
Zum frühestmöglichen Termin suchen wir eine/n jüngere/n

DIPL.-INGENIEUR/IN (FH)

Fachrichtung: Maschinenbau, Betriebstechnik, Instandhaltungswesen.
Das Aufgabengebiet umfaßt im wesentlichen
technische Betreuung unseres Wagenparks
Vergabe und Überwachung der Instandsetzungsarbeiten bei den Waggonreparaturwerken
Mitwirkung bei der Konzeption von Modernisierungs- und Umbaumaßnahmen
Datenpflege der Wagendatei im Rahmen unseres DV-Systems
Wir erwarten
Schweißflachingenieurausbildung
Bereitschaft zu häufiger Reisetätigkeit
engagierte, selbständige Tätigkeit in einem kleinen Team
Richten Sie Ihre aussagefähige Bewerbung mit Lichtbild bitte an

Französischer Geschäftsführer
ausgezeichnete Deutschkenntnisse, sucht unternehmerische Aufgabe im Raum Paris für die Verwaltung und Abfertigung Ihrer Lagerbestände. In einem, 15 km östlich von der Stadtgrenze gelegenen Pariser Vorort stellt er außerdem zu Ihrer Verfügung: moderne Räumlichkeiten mit Büros und Lager für die Einlagerung Ihrer Produkte und deren Verteilung über ganz Frankreich.
Zuschriften unter ...

JUNGE, ENGAGIERTE DÄNIN
..., derzeit als Vertriebsass. in einem int. Unternehmen
sucht neuen Wirkungskreis, möglichst
Werbeagentu...
Reisebüro
...tigkeit mit
..., Englisch und Skandi-
...se und bin immer gut

Wir suchen
1 Ingenieur
Fachrichtung Produktionstechnik
für den Verantwortungsbereich der Anlagen- und Werksplanung, Investitionen, Prozeßtechnik und für die Optimierung aller Abläufe in unserer Fertigung.
Wir sind ein modern geführtes, expandierendes Unternehmen mit hochautomatisierten, modernsten Anlagen.
Wir bieten einen sicheren Arbeitsplatz, leistungsbezogenes Gehalt und gute Sozialleistungen.

Wir sind ein führendes mittel...sches Unternehmen a...
Holzlackindustrie in München mit einem hervorragenden
Image im In- und Ausland.
Einem Marketing-/Vertriebsspezialisten mit der Fähigkeit
der Umsetzung am Markt bieten wir die Chance zum Einstieg als

Marketing-/Vertriebsleiter

Beteiligung an der Vertriebsgesellschaft ist vorgesehen.
Ihre aussagefähige Bewerbung senden Sie bitte unter der
Kennziffer FAZ/30 an die von uns beauftragte

Agentur

INTONATION

Ich denke, Sie brauchen nur einen Ingenieur.

Herr Baumann hat gekündigt, weil er in einer anderen Stadt arbeiten will.

Es ist sehr schade, daß Herr Baumann uns verläßt.

Ich weiß, daß Herr Baumann ein sehr tüchtiger Ingenieur und ein geschätzter Mitarbeiter ist.

Ich bin einverstanden, daß wir erst mal zwei Facharbeiter einstellen.

Aber die zwei Ingenieure muß ich haben, denn der eine ist ja nur Ersatz für Herrn Baumann,

und den anderen brauchen wir, weil wir so viele Aufträge haben.

ar, er, or, ur
är, ir, ör, ür

ZENTRIERENDE DIPHTHONGE

 Tier Tür Tour Teer Tör(chen) Tor
unklar wir Ursache Herr Dormann Auf Wiederhören
für Ihr er wer sehr fährt Sekretärin ihre

 Lesen Sie laut!
Auf Wiederhören – exportieren – fährt – formulieren – für – gratulieren – Ihr – ihre – kopieren – notiert – produzieren – sehr – die Sekretärin serviert Tee – telefonieren – Tier – Tor – Tür – klar – Ursache – wer – wir

 pf AFFRIKATE PF

Nägel mit Köpfen empfehlen Empfänger Apfel Gipfel

 Lesen Sie laut!
Apfel – Empfänger – empfehlen – Gipfel – Köpfe

 th (= T)   ph (= F)

Fürth Rosenthal Goethe   Philips Phönix Triumph
Rothenburg Thüringen   Philippinen Physik

Lesen Sie laut!
Fürth – Goethe – Philippinen – Philips – Phönix – Physik – Rosenthal – Rothenburg – Thüringen – Triumph

-s *PRÄDIKATIVE ADJEKTIVE MIT S-ENDUNG*

die andere Seite   — Sie ist anders.
der rechte Arm   — Er ist rechts.
das linke Gebäude   — Es ist links.
die besondere Vorliebe   — Das ist besonders schön.

 daß, weil *NEBENSÄTZE*

Herr Baumann verläßt uns. Er übernimmt einen anderen Auftrag.
Herr Baumann verläßt uns, weil er einen anderen Auftrag übernimmt.

Herr Baumann verläßt die Firma. Das gefällt Herrn Spät gar nicht.
Herrn Spät gefällt gar nicht, daß Herr Baumann die Firma verläßt.

Herr Baumann geht zu einer anderen Firma. Herr Spät bedauert das.
Herr Spät bedauert, daß Herr Baumann zu einer anderen Firma geht.

 *HAUPTSATZ UND NEBENSATZ*

Die Zeit **ist** knapp, weil Herr Barnes um 8.45 Uhr aus London **anruft**.
Herr Lang **erfährt** erst heute, daß Herr Baumann zu einer anderen Firma **gehen will**.

 Bilden Sie Sätze!

Er kommt heute spät nach Hause. – Er geht mit Herrn van Beeken essen.
Wir wissen: Herr Spät soll eine Lösung für die M-CC-1 für Wien finden.
Der Kunde ist zufrieden. – Wir können die Maschine pünktlich liefern.
Frau Maiwald sagt: Wir müssen die Stellen überregional ausschreiben.
Herr Baumann kündigt. Er will eine andere Aufgabe übernehmen.

 *NEBENSATZ UND HAUPTSATZ*

Weil Herr Barnes um 8.45 Uhr aus London **anruft**, **ist** die Zeit knapp.
Daß Herr Baumann zu einer anderen Firma **gehen will**, **erfährt** Herr Lang erst heute.

 Bilden Sie Sätze!

Herr Lang geht mit Herrn von Beeken heute essen. Er kommt spät nach Hause.
Herr Spät soll eine Lösung für die M-CC-1 für Wien finden. Das wissen wir.
Wir können die Maschine pünktlich liefern. Der Kunde ist zufrieden.
Herr Baumann will eine andere Aufgabe übernehmen. Er kündigt bei der Fa. Lang.
Herr Baumann verläßt die Firma Lang. Herr Spät braucht zwei neue Ingenieure.
Der Auftrag aus Wien ist dringend. Das wissen alle.
Der Kunde in Wien hat noch Fragen. Er ruft die Firma Lang an.

, ! " ?   *INTERPUNKTION*

.	der Punkt	„…"	(doppelte) Anführungszeichen
?	das Fragezeichen	-	der Bindestrich
!	das Ausrufezeichen	–	der Spiegelstrich (der Gedankenstrich)
,	das Komma	/	der Schrägstrich
;	der Strichpunkt, das Semikolon	(…)	(runde) Klammer
:	der Doppelpunkt	[…]	(eckige) Klammer
'	der Apostroph	…	Auslassungspunkte
‚…'	(einfache) Anführungszeichen		

gewollt	wollen
gedurft	dürfen
gesollt	sollen
gemußt	müssen
gekonnt	können

MODALVERBEN IM PERFEKT

Herr Baumann ist jetzt bei einer Firma in München; dort konstruiert er Autos. –
Hat er das schon immer gewollt? – Ja, er hat immer schon Autos konstruieren wollen.
Die Anzeige für die Ingenieure haben wir überregional ausschreiben müssen.
Die Anzeige für die Facharbeiter haben wir lokal plazieren können.

Wie entscheidet sich Herr Lang?

Herr Spät setzt sich für neue Personalstellen ein. Er erzählt:

Bei der Fa. Lang gibt es Produktionsengpässe. Es zeichnet sich ab, daß wir drei neue Facharbeiter und zwei Ingenieure brauchen. Herr Lang muß sich mit diesem neuen Problem befassen. Zu lange Lieferfristen wirken sich ungünstig aus, weil sich viele Kunden nicht so lange gedulden wollen. Ich kann mich nicht mit nur einem Ingenieur begnügen, denn ein Mitarbeiter, Herr Baumann, hat gekündigt. Er hat sich schon lange für eine andere Stelle interessiert. Er hat sich in München beworben, weil er in der Autobranche tätig sein will. Er glaubt, daß er sich für diese Tätigkeit besser eignet. Hoffen wir, daß er sich nicht irrt. Außerdem hat er sich zu diesem Schritt entschlossen, weil sich seine Lebensgefährtin in München niedergelassen hat.
Ich möchte erreichen, daß sich Herr Lang möglichst schnell entscheidet. Weil schon bald Herr van Beeken kommt, muß ich mich beeilen. Ich begebe mich um halb neun in das Büro von Herrn Lang und unterhalte mich mit ihm über das Problem. Zuerst sträubt sich Herr Lang, denn er hat gedacht, daß es sich nur um einen Ingenieur handelt. Wie soll er sich jetzt verhalten? Er hört sich meine Argumente an, und dann wird Frau Maiwald gerufen.
Schließlich einigen wir uns: Zwei Ingenieure werden eingestellt. Frau Maiwald und ich sind zufrieden; wir sollen uns um den Anzeigentext kümmern. Da meldet sich auch schon Frau Haber und teilt mit, daß sich Herr van Beeken schon im Hause befindet. Wir verabschieden uns von Herrn Lang. Dann machen wir uns an den Ausschreibungstext.

Unterstreichen Sie die reflexiven Verben!

mich, sich, uns

REFLEXIVPRONOMEN + REFLEXIVE VERBEN

		NOMINATIV	AKKUSATIV
SINGULAR	1. PERSON	ich	mich
	3. PERSON	er es sie	sich
PLURAL	2. PERSON	Sie	sich
	3. PERSON	sie	sich
	1. PERSON	wir	uns

sich befassen
sich auswirken
sich gedulden
sich begnügen
sich interessieren (für)
sich bewerben (um)
sich eignen (für)
sich irren
sich entschließen zu
sich niederlassen
sich beeilen
sich begeben
sich kümmern (um)

sich abzeichnen

sich unterhalten über
sich anhören
sich einigen
sich melden
sich befinden
sich verabschieden

sich entscheiden für / gegen
es handelt sich um
sich machen an
sich bemühen um

Berichten Sie aus der Sicht von Herrn Lang!

in, nach

PRÄPOSITIONEN MIT LÄNDER- UND STÄDTENAMEN

wo?	**wohin?**
in Deutschland	nach Deutschland
in Frankreich	nach Frankreich
in Wien	nach Wien
in den Niederlanden	in die Niederlande
in den Vereinigten Staaten	in die USA
in der Schweiz	in die Schweiz
in der Türkei	in die Türkei
in der Tschechischen Republik	in die Tschechische Republik
in der Bundesrepublik	in die Bundesrepublik

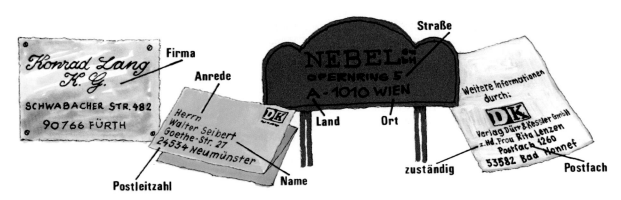

Woher kommen Sie?
Was sind Sie?

Wir kommen aus Österreich.

	Ich bin	Ich bin		
–→ er (in)	Österreicher	Österreicherin	Ⓐ	Österreich
	Schweizer	Schweizerin	CH	[die] Schweiz
	Luxemburger	Luxemburgerin	Ⓛ	Luxemburg
	Japaner	Japanerin	Ⓙ	Japan
	Italiener	Italienerin	Ⓘ	Italien
	Europäer	Europäerin		Europa
en → er (in)	Norweger	Norwegerin	Ⓝ	Norwegen
	Ägypter	Ägypterin	ET	Ägypten
ien → er (in)	Albaner	Albanerin	AL	Albanien
	Inder	Inderin	IND	Indien
ien → ier (in)	Spanier	Spanierin	Ⓔ	Spanien
	Belgier	Belgierin	Ⓑ	Belgien
	Algerier	Algerierin	DZ	Algerien
	Tunesier	Tunesierin	TN	Tunesien
	Australier	Australierin	AUS	Australien
a → ier (in)	Kanadier	Kanadierin	CDN	Kanada
a → aner (in)	Afrikaner	Afrikanerin		Afrika
	Amerikaner	Amerikanerin	USA	Amerika ([die] Vereinigte[n] Staaten von)
o → aner (in)	Mexikaner	Mexikanerin	MEX	Mexiko
	Marokkaner	Marokkanerin	MA	Marokko
ien → ianer (in)	Brasilianer	Brasilianerin	BR	Brasilien
	Kolumbianer	Kolumbianerin	CO	Kolumbien
n → – (in)	Ungar	Ungarin	Ⓗ	Ungarn
land(e) → länder (in)	Niederländer	Niederländerin	NL	[die] Niederlande
	(Holländer)	(Holländerin)		(Holland)
	Isländer	Isländerin	IS	Island
	Thailänder	Thailänderin	Ⓣ	Thailand
	Engländer	Engländerin	GB	England
land → e / in	Schotte	Schottin	GB	Schottland
	Ire	Irin	IRL	Irland
	Finne	Finnin	SF	Finnland
	Russe	Russin	GUS	Rußland ([die] Russische Föderation)
	Grieche	Griechin	GR	Griechenland
en → e / in	Schwede	Schwedin	Ⓢ	Schweden
	Pole	Polin	PL	Polen
	Däne	Dänin	DK	Dänemark
ien → e / in	Bulgare	Bulgarin	BG	Bulgarien
	Rumäne	Rumänin	RO	Rumänien
ei → e / in	Slowake	Slowakin	CS	[die] Slowakei
	Türke	Türkin	TR	[die] Türkei
... → se / sin	Franzose	Französin	Ⓕ	Frankreich
	Portugiese	Portugiesin	Ⓟ	Portugal
	Chinese	Chinesin	TJ	China
ien → iate / iatin	Asiate	Asiatin		Asien

Medien in Deutschland

 Die Tabelle zeigt Ihnen überregionale auflagenstarke Zeitungen und Zeitschriften.

Schauen Sie sich auch die unten abgebildeten Titel an!

Welche von diesen Titeln sind
Tageszeitungen
Wochenzeitungen
Zeitschriften
(Fachzeitschriften, Illustrierte)?

Ausgewählte Zeitungen und Zeitschriften

	1960	1970	1980	1989	1990
	Verkaufte Auflage in 1.000¹)				
Bild-Zeitung	3.114,5	3.391,4	4.710,2	4.328,2	4.339,4
Süddeutsche Zeitung	199,5	258,8	330,5	380,0	383,4
Frankfurter Allgemeine	220,8	255,1	312,2	360,8	385,9
Die Welt	224,6	225,5	203,7	222,3	228,3
Frankfurter Rundschau	101,6	146,5	183,9	194,6	196,0
Handelsblatt	24,3	54,8	83,3	140,1	144,1
Bild am Sonntag	1.508,6	2.168,9	2.462,9	2.346,0	2.370,1
Die Zeit	78,7	262,0	388,8	495,5	487,2
Welt am Sonntag	355,4	340,3	325,8	368,4	372,5
Bayernkurier	25,0	121,2	179,1	158,8	159,8
Deutsches Allgemeines Sonntagsblatt	110,6	112,6	125,3	105,3	101,0
Rheinischer Merkur²)	48,6	50,3	141,3	101,2	104,1
Der Spiegel	340,6	890,4	947,6	1.046,4	1.087,3
Capital	9,6³)	165,0	227,5	250,5	242,8
Impulse	.	.	120,0⁴)	130,5	132,4
manager magazin	.	.	70,0⁴)	92,8	92,6
industriemagazin⁵)	10,0	26,4⁵)	59,8	83,0	93,7
Wirtschaftswoche	.	41,3	109,6	134,8	139,9
Stern	1.259,1⁶)	1.634,0⁶)	1.740,6	1.306,3	1.280,3
Bunte Illustrierte	786,6	1.702,2	1.425,4	968,8	983,0
Neue Revue⁷)	.	1.760,8	1.238,4	952,5	903,4
Quick	1.202,2	1.432,4	974,2	720,9	715,9

¹) Stand: jeweils 4. Quartal.   ²) Ab 1980 fusioniert mit Christ und Welt.   ³) 1963. ⁴) Garantiert in der Zielgruppe verbreitete Auflage.   ⁵) 1971.   ⁶) Ohne Österreich.   ⁷) 1965 aus dem Zusammenschluß von Revue und Neue Illustrierte entstanden.

 Welche Zeitungen und Zeitschriften befassen sich speziell mit dem Bereich Wirtschaft? Bei welchen anderen Zeitungen ist der Wirtschaftsanteil sehr ausführlich?

 Welche Tageszeitungen in Ihrem Heimatland haben einen besonders umfangreichen Wirtschaftsanteil?
Was enthält der Wirtschaftsteil?
Welche besonderen Wirtschaftszeitungen und -zeitschriften gibt es in Ihrem Land?
Welche Zeitungen oder Zeitschriften lesen Sie? Warum?

Fach- und Führungskräfte

Schauen Sie sich die Grafik an!

Was ist ihr Thema?
Auf welche drei Funktionen beziehen sich die Stellenangebote?
Wie verhalten sich die Anteile zueinander (Prozentwerte)
Welche Funktionen betreffen die meisten Stellenangebote?
Welche Bereiche gehören zu den kundenorientierten Funktionen?

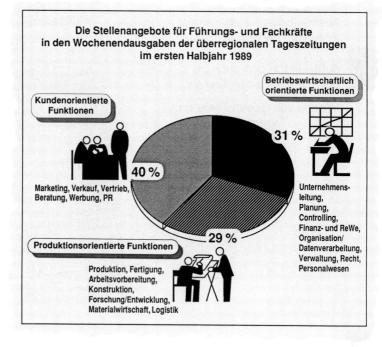

Die Stellenangebote für Führungs- und Fachkräfte in den Wochenendausgaben der überregionalen Tageszeitungen im ersten Halbjahr 1989

Kundenorientierte Funktionen

Betriebswirtschaftlich orientierte Funktionen

31 %

40 %

Marketing, Verkauf, Vertrieb, Beratung, Werbung, PR

Unternehmens-leitung, Planung, Controlling, Finanz- und ReWe, Organisation/ Datenverarbeitung, Verwaltung, Recht, Personalwesen

29 %

Produktionsorientierte Funktionen

Produktion, Fertigung, Arbeitsvorbereitung, Konstruktion, Forschung/Entwicklung, Materialwirtschaft, Logistik

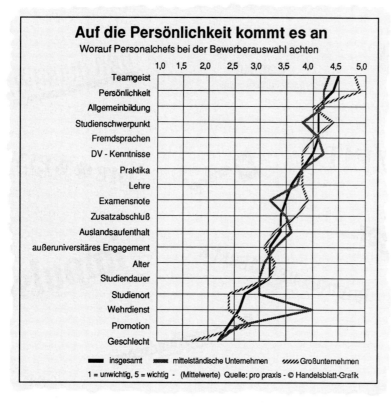

Auf die Persönlichkeit kommt es an
Worauf Personalchefs bei der Bewerberauswahl achten

Teamgeist
Persönlichkeit
Allgemeinbildung
Studienschwerpunkt
Fremdsprachen
DV - Kenntnisse
Praktika
Lehre
Examensnote
Zusatzabschluß
Auslandsaufenthalt
außeruniversitäres Engagement
Alter
Studiendauer
Studienort
Wehrdienst
Promotion
Geschlecht

▬ insgesamt ▬ mittelständische Unternehmen ▨ Großunternehmen
1 = unwichtig, 5 = wichtig - (Mittelwerte) Quelle: pro praxis - © Handelsblatt-Grafik

Worauf achten die Personalchefs bei der Bewerberauswahl?
Ist Alter weniger wichtig als Persönlichkeit?
Was spielt sonst eine größere und was eine weniger große Rolle?
Gelten solche Auswahlkriterien auch in Ihrem Heimatland?
Worauf beziehen sich die drei Kurven?
Was gilt sowohl für mittelständische Unternehmen als auch für Großunternehmen?

Vergleichen Sie Großunternehmen und mittelständische Unternehmen!
Die Persönlichkeit spielt in Großbetrieben im Vergleich zum Geschlecht eine wichtige Rolle.

Benutzen Sie dazu folgende Redemittel: im Unterschied zu
im Vergleich zu
im Gegensatz zu
wichtigste Auswahlkriterien sind
...

Der Preisnachlaß

Herr Klein: Herr Spät, können Sie mir schon etwas über den Preis für die
              M-CC-1 sagen? Mein Kunde in Wien wartet auf eine Antwort.
              Er ist schon ungeduldig.

Herr Spät: Ja, Herr Klein, ich habe hier eine Nachkalkulation. Sie wissen ja, daß
              wir immer sehr knapp kalkulieren, so daß wir eigentlich nur wenig
              Spielraum haben. Außerdem müssen wir an die Lohnerhöhung ab
              1. März denken, und dann kommt noch die Arbeitszeitverkürzung
              hinzu. In diesem Fall müssen wir auch an die Überstunden denken.

Herr Klein: Ja, aber Sie wissen, daß die Fa. Sturm in Wien schon mit der
              Konkurrenz verhandelt. Wenn wir den Auftrag hereinholen wollen,
              dann müssen wir dem Kunden schon etwas entgegenkommen.

Herr Spät: Also, Herr Klein, ich sehe eine Möglichkeit. Ein Preisnachlaß von
              3 % ist gerade noch möglich. Mehr geht wirklich nicht. Wir dürfen
              nicht vergessen, unsere Maschinen haben im Vergleich zu den
              Konkurrenzprodukten einen technischen Vorsprung. Qualität hat
              eben ihren Preis.

Herr Klein: Wie ist es mit den Zahlungsbedingungen?

Herr Spät: Wie üblich!

Herr Klein: Na ja!

Herr Spät: Müssen wir einen Monteur nach Wien schicken? Oder braucht der
              Kunde das nicht?

Herr Klein: Doch, das ist schon sinnvoll. Vielleicht können wir die Kosten für
              die Monteurstunden übernehmen – als zusätzlichen Kundenservice?

Herr Spät: Also gut. Aber Reise- und Aufenthaltskosten muß der Kunde tragen.

Herr Klein: Ich glaube, das ist eine gute Lösung. Ich bestätige es dem Kunden
              gleich per Telefax.

INTONATION

Können Sie mir schon etwas über den Preis für die M-CC-1 sagen?

Haben Sie schon eine Nachkalkulation?

Wie ist es mit den Zahlungsbedingungen?

Müssen wir einen Monteur nach Wien schicken?

Oder braucht der Kunde das nicht?

Sie wissen ja, daß wir immer sehr knapp kalkulieren,

so daß wir eigentlich nur wenig Spielraum haben.

Außerdem müssen wir an die Lohnerhöhung ab 1. März denken,

und dann kommt noch die Arbeitszeitverkürzung hinzu.

In diesem Fall müssen wir auch an die Überstunden denken.

Sie wissen, daß die Firma Sturm in Wien schon

mit der Konkurrenz verhandelt.

Wenn wir den Auftrag hereinholen wollen,

dann müssen wir dem Kunden schon etwas entgegenkommen.

Ein Preisnachlaß von 3 % ist gerade noch möglich.

Wir dürfen nicht vergessen, unsere Maschinen haben im Vergleich

zu den Konkurrenzprodukten einen technischen Vorsprung.

Schreiben Sie eine Dialogskizze!

Klein	**Spät**
Preis für die M-CC-1 ●	Nachkalkulation.
	wenig Spielraum:
	● immer knappe Kalkulation
	Lohnerhöhung
	Arbeitszeitverkürzung
Fa. Sturm	
Verhandlung m. Konkurrenz ...	

! *Für Stichworte sind oft Substantive geeignet:*

knapp kalkulieren	–	knappe Kalkulation
wir müssen entgegenkommen	–	Entgegenkommen notwendig

Hören Sie den Dialog noch einmal!
Machen Sie beim Hören Notizen!

Spielen Sie den Dialog!

v   *STIMMHAFTES V (= w)*

November Valuta servieren Universal Kundenservice

 Lesen Sie laut!
Kundenservice – November – servieren – Universal – Valuta

 ng   *VELARER NASAL*

Fa. Lang dringend Erlangen Auftragseingang bringen
Besprechung Währungsstabilität Rechnung Niederlassung

Springer Schering Solingen Recklinghausen

 Tango Kongo Ingrid

 nk   *VELARER NASAL*

danke Frankfurt pünktlich Dank Getränk Banknoten Zentralbankrat
Bundesbank Punkt denken krank Konkurrenz Franken trinken

 unklar Terminkalender ankommen

 Lesen Sie laut!
ankommen – Auftragseingang – Bank – Besprechung – bringen – danke – dringend – Franken – Getränk –
Ingrid – Kongo – Konkurrenz – krank – Niederlassung – pünktlich – Solingen – Tango – Terminkalender –
trinken – unklar – Zentralbankrat

 qu   *KOMBINATION K + W*

bequem Quelle Qualität Quartal qualifiziert

Lesen Sie laut!
bequem – qualifiziert – Qualität – Quartal – Quelle

wenn ... (dann) _BEDINGUNG_

die Bedingung

Wenn wir den Auftrag
hereinholen **wollen,**

die Konsequenz

(dann) **müssen wir**
dem Kunden entgegenkommen.

die Konsequenz

Wir müssen dem Kunden
entgegenkommen,

die Bedingung

wenn wir den Auftrag
hereinholen **wollen.**

Bilden Sie Sätze!

Welcher Satz enthält die Bedingung, welcher Satz die Konsequenz?

Die Fa. Lang gibt einen Preisnachlaß.
Die Montagearbeiter machen Überstunden.
Die M-CC-1 kann nicht rechtzeitig geliefert werden.
Die Fa. Lang findet eine Lösung.
Der Preis erhöht sich.

Die Firma Sturm kauft die Maschine.
Die M-CC-1 kann fertiggestellt werden.
Die Montagearbeiter machen keine Überstunden.
Der Kunde geht nicht zur Konkurrenz.
Die Nachfrage steigt, und das Angebot wird kleiner.

so daß _FOLGE_

der Grund

Die Maschinen von Lang haben
eine hohe Qualität.

Die Maschinen von Lang haben
eine hohe technische Qualität,

Die Maschinen von Lang haben
eine **so** hohe Qualität,

Die Firma Lang kommt dem
Kunden entgegen,

die Folge

Die Kunden zahlen dafür
auch höhere Preise

so daß die Kunden dafür
auch höhere Preise zahlen.

daß die Kunden auch höhere
Preise zahlen.

so daß für diesen die Verhandlungen mit der
Konkurrenz nicht mehr interessant sind.

Bilden Sie Sätze mit **weil** oder **so daß**!

Die Firma Lang bietet zusätzlichen Kundenservice.
In der Montage gibt es Entlastung.
Das Stellenangebot ist attraktiv.
Dieser Bewerber kann in vier Fremdsprachen
Verhandlungen führen.
Fa. Lang übernimmt die Kosten für die Montage.

Die Firma Sturm ist zufrieden.
Drei neue Facharbeiter werden eingestellt.
Viele Bewerbungen gehen ein.
Er wird ausgewählt.

Für Fa. Sturm entstehen keine Mehrkosten.

Bilden Sie Sätze mit **wenn (dann), daß** oder **so daß**!

Wir finden eine Lösung.
Unsere Lösung ist gut.
Er weiß:
Wir geben mehr als 3 % Preisnachlaß.
Berechnungen haben (es) ergeben.

Die Montageabteilung muß zu oft Überstunden
machen.

Ich bestätige es dem Kunden per Telefax.
Der Kunde ist gleich damit einverstanden.
Wir können nicht mehr als 3 % Preisnachlaß geben.
Das Geschäft ist uninteressant.
Eine Lohnerhöhung von 5,5 % kann von der Firma
verkraftet werden.
Der Betriebsrat fordert Neueinstellungen.

Besprechung bei Firma Sturm

Herr Sturm spricht in Wien mit Herrn Gerlach, seinem engsten Mitarbeiter.

Hören Sie den Dialog! Machen Sie Notizen!

Beantworten Sie die Fragen zum gehörten Text!

Welche Vorteile bietet die Firma Krönmeyer?
Warum gibt Sturm dem Angebot von Lang den Vorzug?
Welche Forderungen stellt Sturm?
Welche Forderungen will er unbedingt durchsetzen?
Wo ist Spielraum?

Lesen Sie nun den Text!

Unterstreichen Sie wichtige Wörter!

Vergleichen Sie mit Ihren Notizen!

Herr Sturm:	Herr Gerlach, ist die Antwort aus Fürth noch nicht da?
Herr Gerlach:	Ich glaube nicht, aber ich sehe nach.
Herr Sturm:	Wenn ich nicht bald ein plausibles Angebot bekomme, müssen wir bei Krönmeyer bestellen. Wir brauchen dringend eine zweite Prägemaschine.
Herr Gerlach:	Krönmeyer hat sicher Vorteile. Die Maschine ist um 10 % billiger und schneller lieferbar. 3 Wochen früher!
Herr Sturm:	Ja, sicher. Aber die M-CC-1 von Lang ist ausgereifter. Das ist für mich entscheidend.
Herr Gerlach:	Das meine ich auch.
Herr Sturm:	Aber Lang bekommt den Auftrag nur, wenn er uns entgegenkommt.
Herr Gerlach:	Ein Preisnachlaß von 10 %?
Herr Sturm:	Das ist bei Lang nicht drin. Das ist nicht realistisch. Sagen wir: 5 % + zusätzlichen Service. Wenn dann ein Ergebnis von 4 % herauskommt, greifen wir zu – Lieferzeit 4 Wochen.
Herr Gerlach:	Wir stellen also die zusätzliche Forderung, daß die Firma Lang die Kosten für den Monteur übernimmt.
Herr Sturm:	Ja, sicher.
Herr Gerlach:	Auch die Reise- und Aufenthaltskosten?
Herr Sturm:	Wir versuchen das. Daran sollen aber die Verhandlungen nicht scheitern.

Vergleichen Sie mit Dialog 1!
Auf welcher Verhandlungsbasis können sich die Partner einigen?

Führen Sie ein kurzes Verhandlungsgespräch zwischen Herrn Klein und Herrn Gerlach!

wo(r)...? – da(r)... *PRÄPOSITIONALADVERB UND FRAGEWORT*

wozu – dazu	wovon – davon	worin – darin
wobei – dabei	wodurch – dadurch	woran – daran
womit – damit	wofür – dafür	worüber – darüber
wonach – danach	wogegen – dagegen	worauf – darauf
wovor – davor	woneben – daneben	woraus – daraus
wohinter – dahinter	wozwischen – dazwischen	worum – darum

Unterscheiden Sie:

Fragen nach Personen / Gruppen / Institutionen

Mit wem spricht Herr Sturm?
Herr Sturm spricht mit Herrn Gerlach.

Für wen übernimmt Fa. Lang die Kosten?
Die Fa. Lang übernimmt die Kosten für den Monteur.

Warten Sie auf Herrn Klein?
Ja, ich warte auf Herrn Klein.
Ja, ich warte auf ihn.

Fragen nach Sachen

Womit vergleicht Herr Sturm das Angebot von Lang?
Herr Sturm vergleicht das Angebot von Lang mit dem Angebot von der Konkurrenz.

Wofür soll ein Preisnachlaß gegeben werden?
Für die M-CC-1 soll ein Preisnachlaß gegeben werden.

Warten Sie auf ein Angebot?
Ja, ich warte darauf.

Fragen Sie!

Wir bestellen die Maschine bei der Firma Lang.
Man wartet auf einen Preisnachlaß.
Wir müssen an die Lohnerhöhung ab 1. März denken.
Sturm hat bereits mit der Konkurrenz verhandelt.
Herr Spät bespricht mit Herrn Klein den Auftrag aus Wien.
Herr Spät spricht mit Herrn Klein über den Auftrag aus Wien.
Die Firma Sturm soll auf weitere Zugeständnisse verzichten.
Herr Klein hat mit der Firma Sturm lange verhandelt.

Gebrauchen Sie die Form mit da- und das Personalpronomen!

△ Spricht Herr Spät mit Herrn Klein über den Auftrag aus Wien?
(Ja, er spricht mit Herrn Klein über den Auftrag aus Wien.)

○ Ja, er spricht mit ihm darüber.

△ Will die Firma Sturm nicht auf weitere Zugeständnisse verzichten?
(Doch, die Firma will auf weitere Zugeständnisse verzichten.)

△ Hat der Kunde nicht auf einen Preisnachlaß gehofft?
(Doch, der Kunde hat auf einen Preisnachlaß gehofft.)

△ Hat der Vertreter gut für die neuen Produkte geworben?
(Ja, der Vertreter hat gut für die neuen Produkte geworben.)

…

 per *PRÄPOSITION*

Bilden Sie Sätze!

Sie bestätigen / schicken / liefern /
benachrichtigen / (be)zahlen

den Auftrag / die Unterlagen /
die Rechnung / den Kunden /
das Modul / die Nachricht /
die Bestätigung /
die Konstruktionsvorlage /
165 m Folie / die Maschinenteile

Womit?

per Telefax	
per Telefon	telefonisch
per Telegramm	telegraphisch
per Post	auf dem Postweg
per Brief	brieflich
per Luftpost	mit Luftpost
per Expreß	
per Eilboten	durch Eilboten
per Einschreiben	als Einschreiben
per Bahn	mit der Bahn
per LKW	mit LKW / auf dem Landweg
per Flugzeug	mit dem Flugzeug / auf dem Luftweg
per Schiff	mit dem Schiff / auf dem Seeweg
per Scheck	mit Scheck
per Überweisung	

Zahlung und Zahlungsbedingungen

Schreiben Sie einen Text aus folgenden Wörtern:

Verkäufer – Ware – verkaufen – Kunde – Käufer – Geldschuld – Zahlung

Welche zusätzlichen Informationen enthält der folgende Text?

Zahlung ist die Übereignung einer bestimmten Menge Geldes. Durch diese Übereignung soll meist (aber nicht immer) eine Geldschuld beglichen werden.

Zahlungsbedingungen sind Vereinbarungen über Zeitpunkt und Ort der Zahlung von Geldschulden. Wir unterscheiden:

– die Vorauszahlung
– die Barzahlung
– die Bezahlung bei Übergabe (Nachnahme) sowie
– die Vereinbarung eines bestimmten späteren Zahlungstermins.

Bedingungen der Zahlung werden vielfach mit Bedingungen der Lieferung verbunden.

Beim Verkauf größerer Maschinen ist die sogenannte Drittelzahlung eine häufige Form der Zahlung:
Ein Drittel der Summe ist fällig bei Erteilung des Auftrags,
ein Drittel bei Fertigstellung der Maschine,
ein Drittel bei Inbetriebnahme der Maschine durch den Kunden.
Die Kosten für Aufstellung und Inbetriebnahme der Maschine sind Verhandlungssache.

Die Firmen Lang und Sturm verhandeln deshalb über

– die Bezahlung der Monteurstunden
– die Reise- und Aufenthaltskosten des Monteurs.

Im übrigen gilt bei der Firma Lang die Drittelzahlung.

Welche Begriffe passen zu den Bildern?

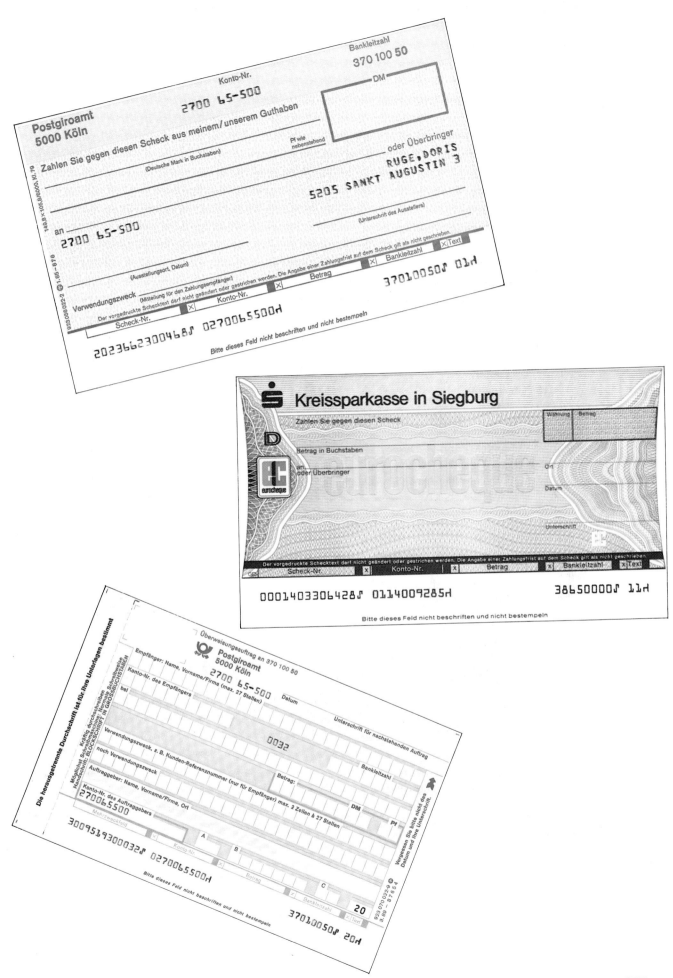

des	eines
der	keiner
seiner	

GENITIV

MASKULIN UND NEUTRUM SINGULAR

eines	Auftrag**s**	
des	Termin**s**	
dieses	Monat**s**	s + s
ihres	Problem**s**	
unseres	Lager**s**	
seines	Zimmer**s**	

des	Freund**es**	
eines	Tag**es**	s + es
keines	Mann**es**	
dieses	Geld**es**	s + (nis)ses
ihres	Zeugnis**ses**	

des	Bote**n**	
eines	Kolleg**en**	
keines	Kunde**n**	s + n
Ihres	Gatte**n**	
des	Zeuge**n**	
eines	Herr**n**	

des Herrn – *aber:* von Herrn Lang!

welches	Repräsentant**en**	
des	Absolvent**en**	s + en

eines	Gedanke**ns**	
Ihres	Name**ns**	s + ens
des	Friede**ns**	

FEMININ SINGULAR

der	Summe	
einer	Maschine	
keiner	Vereinbarung	r + –
seiner	Kalkulation	

PLURAL

der	Aufträge	
welcher	Tage	
keiner	Summen	
zweier	Büros	r + –
meiner	Kalkulationen	
aller	Kunden	

von Aufträgen   *ohne Artikel:*
von Tagen   von + DATIV
von Kunden

die Übereignung einer Menge Geldes
Zeitpunkt und Ort der Zahlung
eines bestimmten späteren Zahlungstermins
die Bezahlung der Monteurstunden

Können Sie im Text „Zahlung und Zahlungsbedingungen" noch andere Genitive finden?
Unterstreichen Sie die Endungen!

Nach welchen Wörtern stehen die Genitive?
Welche Funktion haben sie?

Bestimmen Sie das Substantiv näher!

der Zeitpunkt (die Lieferung)
der Zeitpunkt der Lieferung

der Zeitpunkt (die Lieferungen, die Zahlung, die Teilzahlungen)
der Auftrag (die Firmen, die Firma Lang, der Kunde, Herr Lang)
der Verkauf (ein Ersatzteil, diese Folien, das Auto, alle Lagerräume)
der Export (die Ware, Waren, Maschinen, die Maschine …)
das Geld …
der Transport …

-en -er *ADJEKTIVENDUNGEN IM GENITIV*

de**s**	groß**en**	Auftrags	– s + en
eine**s**	groß**en**	Problems	
keine**r**	groß**en**	Maschine	– r + en
welche**r**	groß**en**	Summen	
alle**r**	groß**en**	Firmen	
groß**er**		Aufträge	– + er

Bestimmen Sie das Substantiv näher!

der Tag (eine wichtige Verhandlung, die sichere Lieferung)
die Bestellung (unser ältester Kunde)
die Lösung (Ihre großen Probleme, große Probleme, Probleme, das neue Problem)
die Anwesenheit (viele Zeugen, mehrere Kollegen, meine guten Freunde, die Freunde, Freunde)
…

Vervollständigen Sie den bekannten Text!

Zahlung ist die Übereignung (bestimmte Menge Geld).
Zahlungsbedingungen sind Vereinbarungen über Zeitpunkt und Ort (Zahlung von Geldschulden).

Es gibt folgende Arten (Zahlungen):
– die Vorauszahlung
– die Barzahlung
– die Barzahlung bei Übernahme (Nachnahme) sowie
– die Vereinbarung (ein bestimmter späterer Zahlungstermin).

Bedingungen (die Zahlung) werden vielfach mit Bedingungen (die Lieferung) verbunden.

Beim Verkauf (größere Maschinen) ist die sogenannte Drittelzahlung üblich:

Ein Drittel (die Summe) ist fällig bei Erteilung (der Auftrag),
ein Drittel bei Fertigstellung (die Maschine),
ein Drittel bei Inbetriebnahme (die Maschine) durch den Kunden.

Die Firmen Lang und Sturm verhandeln über
– die Bezahlung (die Monteurstunden),
– die Reise- und Aufenthaltskosten (der Monteur).

Banknoten

Im Oktober 1990 sind die ersten Banknoten einer neuen Serie in Umlauf gekommen. Die Deutsche Bundesbank will mit den neuen Scheinen den Geldfälschern die Arbeit erschweren. Neue, aufwendige Druckverfahren und andere Mittel machen das möglich. Das Schaubild zeigt das am Beispiel des 100-DM-Scheines.

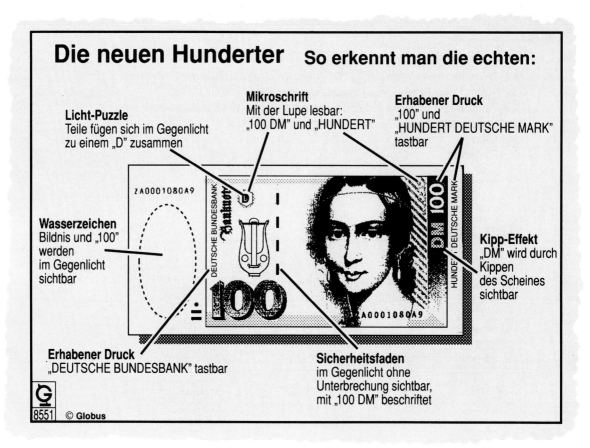

Das Porträt auf diesem Schein zeigt die große Pianistin Clara Schumann, die Frau des Komponisten Robert Schumann. Sie ist am 13. 9. 1819 in Leipzig geboren und am 20. Mai 1896 in Frankfurt am Main gestorben.

Welche Merkmale sind
(mit den Fingerspitzen) tastbar?
Welche Merkmale sind (mit der Lupe) lesbar?
Welche Merkmale sind sichtbar?
Bei welchen Merkmalen braucht man „Gegenlicht"?
Welches Musikinstrument können Sie auf dem Schein erkennen?

Hotel Forsthaus

Das Hotel Forsthaus liegt am Waldrand.
Im Hotel gibt es ein großes Restaurant.
Herr Lang geht mit Herrn van Beeken
ins Restaurant des Hotels.

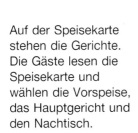

Der Kellner nimmt den beiden
Herren den Mantel ab und
führt sie zum reservierten
Tisch am Fenster.
Er bringt die Speisekarte
und die Getränkekarte.

Auf der Speisekarte
stehen die Gerichte.
Die Gäste lesen die
Speisekarte und
wählen die Vorspeise,
das Hauptgericht und
den Nachtisch.

Getränkekarte

Speisekarte

Was möchten Sie essen?
Stellen Sie Ihr Menü zusammen!
Was kostet es? Schätzen Sie die Preise!

Kalte Vorspeisen
Artischockenherzen
mit Kräutersoße
Krabbencocktail
Parmaschinken mit Melone

Eierspeisen
Kräuteromelett
Omelett mit
gekochtem Schinken

Suppen
Tagessuppe:
Französische Zwiebelsuppe
Gemüsesuppe mit Rindfleisch
Kartoffelsuppe
Lauchcremesuppe
Tomatensuppe mit frischer
Sahne

Salate
Kleiner Salatteller mit
verschiedenen Salaten
Großer Salatteller
mit Schinken und Ei

Hauptgerichte

vom Rind
Rinderbraten in Burgundersoße,
Kartoffelpüree, Rotkohl
Rinderfilet mit Kräuterbutter,
Champignons, Kartoffel-
kroketten, grüne Bohnen

vom Kalb
Kalbsschnitzel in Rahmsoße,
hausgemachte Nudeln,
gemischter Salat

vom Schwein
Schweinebraten, Kartoffeln,
Erbsen und Karotten

vom Lamm
Lammrücken in Knoblauchsoße,
Reis, gemischter Salat

Wild
Rehgulasch mit Pilzen, Preisel-
beeren, hausgemachte Spätzle,
gemischter Salat

Geflügel
Hähnchenbrust „Hawaii", Reis,
gemischter Salat

Fisch
Ganze Nordseescholle,
Kräuterkartoffeln, Salat
Forelle „Müllerin", Kräuterbutter,
Salzkartoffeln, gemischter Salat
Seezunge in Weißweinsoße, Reis,
Kopfsalat

Was lesen Sie? Wie bestellen Sie?

Sie lesen:

kleiner	Salatteller	(der Teller)
gemischter	Salat	(der Salat)
ungarisches	Rindergulasch	(das Gulasch)
französische	Zwiebelsuppe	(die Suppe)
argentinisches	Rindersteak	(das Steak)
grüne	Bohnen	(die Bohnen)
hausgemachte	Spätzle	(die Spätzle)
mit frischer	Sahne	(die Sahne)
mit gekochtem	Schinken	(der Schinken)
mit verschiedenen	Salaten	(der Salat)

Sie bestellen Gerichte:

Ich möchte	den kleinen Salatteller
Ich hätte gern	die Suppe
	das ...
aber:	einen gemischten Salat
	grüne Bohnen

WO DIE DEUTSCHEN WEINE WACHSEN

AHR
MITTELRHEIN
MOSEL SAAR RUWER
RHEINGAU
SAALE UNSTRUT
NAHE
RHEINHESSEN
HESSISCHE BERGSTRASSE
FRANKEN
RHEINPFALZ
SACHSEN
BADEN
WÜRTTEMBERG

DEUTSCHE WEINE. VIELFALT NACH UNSEREM GESCHMACK.

Kellner:	Guten Abend, meine Herren.
Herr van Beeken,	
Herr Lang:	Guten Abend.
Kellner:	Die Speisekarte?
Herr Lang:	Ja, bitte.
Kellner:	Nehmen Sie einen Aperitif?
Herr Lang:	Herr van Beeken, Sie nehmen doch immer einen trockenen Martini.
Herr van Beeken:	Ja, gern.
Herr Lang:	Einen trockenen Martini und einen Campari mit Soda, bitte. Was können Sie uns heute empfehlen?
Kellner:	Als Vorspeise empfehle ich Ihnen Lauchcremesuppe und als Hauptgericht Seezunge in Weißweinsoße oder Lammrücken in Knoblauchsoße.
Herr Lang:	Herr van Beeken, lieber Fisch oder Fleisch?
Herr van Beeken:	Lieber die Seezunge.
Herr Lang:	Also zweimal die Seezunge.
Kellner:	Mit Reis oder mit Kartoffeln? Ein frischer Salat ist dabei.

Herr Lang:	Reis oder Kartoffeln, Herr van Beeken?
Herr van Beeken:	Ich glaube, lieber mit Kartoffeln.
Herr Lang:	Einmal mit Kartoffeln und einmal mit Reis, bitte.
Kellner:	Und was möchten Sie trinken?
Herr Lang:	Herr van Beeken, trinken Sie lieber Wein oder Bier?
Herr van Beeken:	Nun, jetzt bin ich in Franken. Da trinke ich lieber den berühmten Frankenwein.
Herr Lang:	Sie mögen ja trockene Weine sehr gern. Den „Escherndorfer Lump" kennen Sie ja vom letzten Mal. Probieren wir doch jetzt mal einen „Randersackerer Ewigleben"!
Herr van Beeken:	Ja, prima!
Herr Lang:	Herr Ober, bringen Sie uns dann einen Bocksbeutel „Randersackerer Ewigleben"!
Kellner:	Sehr wohl.

Welche Bedeutung haben folgende Sätze des Gastgebers Lang?

„Herr van Beeken, Sie nehmen doch immer einen trockenen Martini."

„Sie (Herr van Beeken) mögen ja trockene Weine sehr gern."

Welche Aufgaben erfüllt der Kellner in dem Dialog?

Vergleichen Sie jetzt mit den Sitten ihres Landes:

das Verhalten / die Worte des Gastgebers,
die Antworten des Gastes,
die Aufgaben des Kellners!

mag mögen

MODALVERB MÖGEN

	1. PERSON	ich mag
SINGULAR	3. PERSON	er es mag sie
	2. PERSON	Sie mögen
PLURAL	3. PERSON	sie mögen
	1. PERSON	wir mögen
INFINITIV		mögen

Sie mögen den Kaffee doch stark. Mögen Sie Tee mit Milch?
Ich mag keine Kartoffeln.

Spielen Sie nun eine Bestellung in einem Restaurant!

Das Arbeitsessen

Während des Essens besprechen die beiden Herren einige aktuelle Probleme des Vertriebs in den Benelux-Ländern. Probleme gibt es wegen der langen Lieferzeiten.

Der Umsatzzuwachs hat im letzten Quartal trotz der langen Lieferzeiten über 10 % betragen. Die Qualität der Produkte hat die Kunden überzeugt.

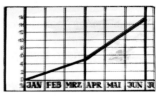

Herr Lang:	Das ist ja sehr erfreulich, Herr van Beeken, daß Lang Benelux im zweiten Quartal dieses Jahres einen zweistelligen Zuwachs der Umsätze erreicht hat.
Herr van Beeken:	Ja, wir haben während des letzten halben Jahres sehr viele Anstrengungen unternommen. Unser Lieferprogramm kommt gut an. Die Qualität ebenso. Aber die langen Lieferzeiten sind ein echtes Problem.
Herr Lang:	Ja, ich weiß. Aber wir haben gerade beschlossen, daß wir zusätzliches Personal für die Fertigung einstellen. Das gibt uns bald Entlastung.
Herr van Beeken:	Das ist erfreulich, denn wie Sie wissen, hat unser Hauptkonkurrent während der letzten Monate besonders mit seiner kurzen Lieferzeit geworben.
Herr Lang:	Herr van Beeken, es geht ja nicht nur um Lieferzeiten, sondern auch um die technische Leistungsfähigkeit unserer Produkte. Hier haben wir bestimmt einen Vorsprung.
Herr van Beeken:	Aber einer unserer langjährigen Hauptkunden in den Niederlanden hat gerade ein Angebot der Konkurrenz erhalten. Hier müssen wir unbedingt mithalten. Den dürfen wir auf keinen Fall verlieren.
Herr Lang:	Was können wir von hier aus tun?
Herr van Beeken:	Ich schlage vor, daß ich mit Philips einen Besuchstermin vereinbare. Wir müssen über eine Reihe technischer Details reden; dazu brauchen wir unbedingt Herrn Spät.
Herr Lang:	Ja, gut. Am besten machen wir gleich morgen mit ihm einen Termin.

Sammeln Sie alle positiven Meldungen über Lang Benelux!
Beantworten Sie die Fragen!

Welche Monate gehören zum zweiten Quartal?
Was ist ein zweistelliger Zuwachs?
Warum sind die langen Lieferzeiten für Lang Benelux ein „echtes Problem"?
Was kann Lang Fürth für die Vertriebsgesellschaft tun?

Unterstreichen Sie wichtige Wörter im Dialog!

Hören Sie den Dialog und machen Sie Notizen!

Lang:	**van Beeken:**
Lang Benelux 2. Quartal	viele Anstrengungen
Umsatzzuwachs zweistellig ...	...

INTONATION

Das ist ja sehr erfreulich, Herr van Beeken, daß Lang Benelux im zweiten Quartal dieses

Jahres einen zweistelligen Zuwachs der Umsätze erreicht hat.

Wir haben während des letzten halben Jahres sehr viele Anstrengungen unternommen.

Unser Lieferprogramm kommt gut an. Aber die langen Lieferzeiten sind ein echtes Problem.

Wir haben gerade beschlossen, daß wir zusätzliches Personal für die Fertigung einstellen.

Das gibt uns bald Entlastung. Wie Sie wissen, hat unser Hauptkonkurrent besonders mit seiner

kurzen Lieferzeit geworben.

Es geht ja nicht nur um Lieferzeiten, sondern auch um die technische Leistungsfähigkeit

unserer Produkte. Hier haben wir bestimmt einen Vorsprung.

Aber einer unserer langjährigen Hauptkunden hat gerade ein Angebot der Konkurrenz erhalten.

Den dürfen wir auf keinen Fall verlieren.

Wir müssen über eine Reihe technischer Details reden; dazu brauchen wir unbedingt Herrn

Spät. Am besten machen wir gleich morgen mit ihm einen Termin.

y

DAS YPSILON (= Ü ODER I)

dynamisch System Hydraulik
Physik antizyklisch Zypern

Hobby Lobby Libyen

Lesen Sie laut!
antizyklisch – dynamisch – Hobby – Hydraulik – Libyen – Lobby – Physik – System – Zypern

c

C IN ABHÄNGIGKEIT VON HELLEN / DUNKLEN VOKALEN (= TS ODER K)

Ceylon Mercedes Celle
M-CC-1 CD CAD
Cäsar ca. (zirka)

Coburg Cochem Codierfolie
Colonia Co. (Kompanie)

Lesen Sie laut!
ca. – CAD – Cäsar – CD – Celle – Ceylon – Co. – Coburg – Cochem – Codierfolie – Colonia – M-CC-1 –
Mercedes

g, j

STIMMHAFTER SCH-LAUT

Montage Ingenieur Garage Girokonto

Journal Journalist

Lesen Sie laut!
Garage – Girokonto – Ingenieur – Journal – Journalist – Montage

einer, eines, eine
keiner, keines, keine
welcher, welches, welche

MIT DEM GENITIV

	MASKULIN	NEUTRUM	FEMININ
NOMINATIV	einer	eines	eine
AKKUSATIV	einen	eines	eine
DATIV	einem	einem	einer
NOMINATIV	keiner	keines	keine
AKKUSATIV	keinen	keines	keine
DATIV	keinem	keinem	keiner
NOMINATIV	welcher	welches	welche
AKKUSATIV	welchen	welches	welche
DATIV	welchem	welchem	welcher

Einer unserer langjährigen Hauptkunden.
Eines der besten Quartalsergenisse.
Keiner unserer größten Hauptkonkurrenten.
Eine der besten Meldungen.
Welcher unserer Hauptkunden?
Welches der aktuellen Probleme?
Das Hotel „Forsthaus" hat eines der besten Restaurants in Fürth.
Keiner der beiden Herren trnkt Bier.
Sie wählen keines der angebotenen Menüs, sondern essen à la carte.
Welchen der angebotenen Weine wählen Sie?

! *Beachten Sie den Unterschied!*

Der Escherndorfer Lump ist ein Frankenwein.
Der Escherndorfer Lump ist der beste Frankenwein.
Der Escherndorfer Lump ist einer der besten Frankenweine.

Ich trinke einen Frankenwein.
Ich trinke den besten Frankenwein.
Ich trinke einen der besten Frankenweine.

Wie heißen die Endungen?

Das Hotel „Forsthaus" ist ein d best Häuser in Fürth.

Herr van Beeken, ein d Gäste, ist dort seit langem bekannt.

Welch d beid Aperitifs wird mit viel Soda getrunken?

Bier wird von kein d beid Herren bestellt.

Ein d selten Gerichte ist frische Nordseescholle.

---

während, wegen, trotz

PRÄPOSITIONEN MIT DEM GENITIV

Während des Essens besprechen die Herren einige aktuelle Probleme.
Wegen der langen Lieferfristen gehen die Kunden zur Konkurrenz.
Trotz der langen Lieferfristen gehen die Kunden nicht zur Konkurrenz.

Bilden Sie Sätze mit **während, wegen, trotz***!*

Knappe Kalkulation — nur ein geringer Preisnachlaß möglich.
Wegen der knappen Kalkulation ist nur ein geringer Preisnachlaß möglich.

Engpaß in der Montage — Überstunden nötig.
lange Lieferfristen — es gibt keine Neueinstellungen.
letztes Quartal — wir haben einen großen Umsatzzuwachs erreicht.
Besprechung — Herr Lang entwickelt einen neuen Plan.
hohe Kosten — nur in besonderen Fällen wird ein Monteur geschickt.
hohe Kosten — selbstverständlich schickt die Firma einen Monteur.
technischer Vorsprung der Produkte — die Firma bleibt konkurrenzfähig.
technischer Vorsprung der Produkte — die Aufträge gehen zurück.

Schwierigkeiten

An einem anderen Tisch des Restaurants sitzen ebenfalls zwei Geschäftspartner: Herr Maud und Herr Fenont.

Herr Maud ist im Vorstand eines deutschen Konzerns. Dieser stellt elektrisches Autozubehör her und ist die Muttergesellschaft einer französischen Firma.
Herr Fenont ist Direktor der französischen Tochtergesellschaft.

Hier sind einige Sätze ihres Dialogs.
Was bedeuten die fettgedruckten Wörter?

Der **Marktanteil** unserer Produkte in diesem Land ist hoch.
Die **Fertigungsanlagen** sind hervorragend ausgebaut, aber die Firma ist nicht **ausgelastet**.
Die Muttergesellschaft muß die Aufwendungen teilweise **ersetzen**.
Eine weitere **Kapitalaufstockung** ist notwendig.

Hören Sie jetzt den ganzen Dialog!

Was ist
richtig falsch ?

richtig	falsch	
☐	☐	In den USA liegt der Marktanteil des Konzerns höher als in Frankreich.
☐	☐	Die Muttergesellschaft ist mit den Ergebnissen des Vetriebs und mit den Ergebnissen des Produktionsbereichs zufrieden.
☐	☐	Die Produktentwicklung für Autoantennen ist sehr teuer gewesen.
☐	☐	Herr Fenont fordert eine Erstattung aller Entwicklungskosten.
☐	☐	Die Muttergesellschaft hat für die Überlassung des technischen Know-how keine Gegenleistung gefordert.
☐	☐	Die Tochtergesellschaft ist voll ausgelastet.
☐	☐	Autoradios sollen in der Zukunft nur bei der französischen Tochtergesellschaft hergestellt werden.
☐	☐	Herr Fenont will den Investitionsplan in 14 Tagen vorlegen.

Lesen Sie jetzt den Dialog!
Welche Teile hatten Sie nicht verstanden?

Herr Maud:	Herr Fenont, ich beglückwünsche Sie zu den schönen Erfolgen. Vor allem beim Vertrieb unserer Erzeugnisse haben Sie in Frankreich hervorragende Ergebnisse gehabt.
Herr Fenont:	Das ist richtig. Der Marktanteil des Konzerns liegt hier weit höher als in den USA und in den anderen Ländern Europas.
Herr Maud:	Das hat auch unser Vorstand vor einigen Tagen hervorgehoben. Aber – im Produktionsbereich sind dagegen Ihre Gewinne zu niedrig gewesen. Wir haben viel mehr erwartet.
Herr Fenont:	Das liegt an den hohen Kosten der Produktentwicklung für die Autoantennen. Wir haben etwa 10 Millionen FF dafür aufgewendet. Sie kommen dem ganzen Konzern zugute. Dies muß die Muttergesellschaft wenigstens teilweise ersetzen.
Herr Maud:	Ich kenne diese Meinung. Aber ich teile sie nicht. Der Konzern hat Ihnen doch sein Know-how ohne einen Pfennig Gegenleistung überlassen. Ich bin gegen jede Kostenerstattung.
Herr Fenont:	Ich betone: Wir haben eine hervorragende Fertigungstechnik aufgebaut. Allerdings sind wir nicht voll ausgelastet gewesen.
Herr Maud:	Das ist richtig. Deshalb wollen wir Ihnen weitere Fertigungsaufgaben übertragen, und zwar die Produktion von Autoradios. Wir stellen sie bisher allein bei der Muttergesellschaft her, wollen aber einen zweiten Produktionsstandort haben.
Herr Fenont:	Das ist eine interessante Idee. Aber dann müssen wir die Fertigungsanlagen weiter ausbauen. Das geht nicht ohne eine Kapitalaufstockung.
Herr Maud:	Das müssen Sie aber genau begründen! Erstellen Sie bitte bald einen Investitionsplan und liefern Sie uns Kalkulationsunterlagen.
Herr Fenont:	Gut. Ich will das sofort tun. In vier Wochen kann ich Ihnen berichten.
Herr Maud:	Nein – bitte in vierzehn Tagen! Da tagt unser Vorstand.

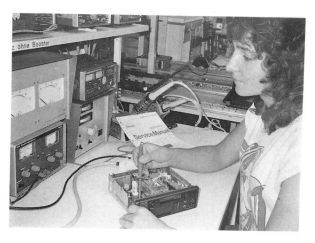

Ende des Arbeitsessens

Herr van Beeken und Herr Lang hatten während des Essens ein ausführliches Gespräch über die Situation in den Benelux-Ländern. Herr van Beeken war bereits vor drei Monaten in Fürth; aber in der Zwischenzeit hatte er einige Probleme: Die Lieferfristen waren zu lang. Aber bald gibt es Entlastung.
Sie haben gegessen und sind jetzt auch mit dem Nachtisch fertig.

war, waren
hatte, hatten   *PRÄTERITUM VON SEIN UND HABEN*

	1. PERSON	ich	war	hatte
SINGULAR	3. PERSON	er er sie	war	hatte
	2. PERSON	Sie	waren	hatten
PLURAL	3. PERSON	sie	waren	hatten
	1. PERSON	wir	waren	hatten

Herr van Beeken war in Fürth.
Herr van Beeken hatte Probleme.

Die Lieferfristen waren zu lang.
Die Herren hatten ein Gespräch.

Erzählen Sie!

Herr van Beeken ist in Fürth. Er hat wichtige Verhandlungen mit der Firma Lang. Herr Lang und Herr van Beeken sind zufrieden mit den Ergebnissen ihrer Gespräche. Weil zu lange Lieferfristen nachteilig sind, sind Neueinstellungen notwendig. Diese Neueinstellungen haben auch noch andere Vorteile.
Herr van Beeken war ...

Kellner:	Waren Sie zufrieden?
Herr van Beeken:	Ja, sehr! Besonders die Nachspeise war vorzüglich.
Herr Lang:	Ja, das „Dessert Forsthaus" ist schon etwas Besonderes. Nehmen Sie noch einen Kaffee oder lieber einen Cognac?
Herr van Beeken:	Einen Espresso bitte.
Herr Lang:	Herr Ober, eine Espresso und einen Cappuccino, bitte!
Kellner:	Sofort.
Herr Lang:	Schicken Sie die Rechnung bitte an die Firma, zu Händen von Frau Haber.
Kellner:	Jawohl!

ALPHABETISCHE WORTLISTE

Die Wortliste enthält alle Wörter (+ einige Wendungen) des Lehrbuchs. Grammatische, phonetische, orthographische und andere linguistische Begriffe sind in Großbuchstaben/kursiv gedruckt. Die Zahlen hinter den Eintragungen beziehen sich auf die Seite des ersten Vorkommens im Lehrbuch. Unregelmäßige Verben sind durch * gekennzeichnet.

A
à la carte 127
Aachen (Stadt) 16
ab + *DAT.* 53
ab Auftragseingang 53
abbilden 107
Abend, der 32
Abendessen, das 87
abends 32
aber 5
abfahren * 87
Abfahrt, die 36
Abfahrtszeit, die 36
abgeordnet 75
Abgeordnete, der 75
abhängig sein von + *DAT.* 76
Abhängigkeit, die 126
abholen 87
abkürzen 93
Abkürzung, die 38
ablehnen 90
abnehmen * 93
Abrollmaschine, die 22
Absatz, der 23
Abschlußprüfung, die 93
Absolvent, der 30
Abteilung, die 49
Abteilungsleiter, der 27
abwerben * 101
abzeichnen, sich 104
ach 9
Ach-Laut, der 29
ach so 9
acht 13
achten auf + *AKK.* 108
achtzehn 24
achtzig 33
ADJEKTIV, das 23
ADJEKTIVENDUNG, die 23
Adresse, die 49
AEG (Firma) 12
AFFRIKATE, die 40
ähnlich 93
AKKUSATIV, der 30
AKKUSATIVSTELLUNG, die 31
AKKUSATIVERGÄNZUNG, die 30
AKKUSATIVOBJEKT, das 66
AKKUSATIVPRÄPOSITION, die 43
AKTIV, das 80
Aktiva, die *(PL.)* 86
aktuell 93
Albert (Vorname) 64
Alfred (Vorname) 63
Alkohol, der 43
all(e/s) 53
alle 4 Jahre 72
allein 129
allerdings 129
Alles Gute! 98
allgemein 64
Alpen, die *(PL.)* 55
Alpenvorland, das 55
Alphabet, das 12
als 52
also 5
alt 12
Alter, das 108
am (= an + dem) 9
am besten 49
am liebsten 54
am meisten 54
am Montag 32

Amerika (Erdteil) 63
Amerikaner, der 63
amerikanisch 22
Amsterdam (Stadt in den Niederlanden) 87
amtieren 72
amtlich 43
an + *DAT./AKK.* 81
anbieten * 127
andere(r/s) 57
ändern, sich 45
anders 31
anfangen * 91
anfragen 101
ANFÜHRUNGSZEICHEN, das 104
angeben * 84
Angebot, das 112
angenehm 98
Angestellte, der 72
Angestellte, die 81
anhalten * 91
anhören, sich 104
ankommen * 87
Ankunft, die 36
Ankunftszeit, die 36
Anmeldeformular, das 37
anmelden 95
Anmeldung, die 94
Anruf, der 44
Anrufbeantworter, der 34
anrufen * 44
ans (= an das) 94
anschauen, sich 104
anschließend 77
Anschluß, der 45
anstellen 75
Anstrengung, die 125
Anteil, der 108
antizyklisch 126
Antrag, der 90
Antwort, die 11
antworten 8
Anwalt, der 94
Anwaltspraxis, die 94
Anwesenheit, die 119
Anzeige, die 100
Anzeigenschluß, der 100
Anzeigentext, der 90
anziehen * 91
Aperitif, der 123
Apfel, der 102
Apfelsaft, der 59
APOSTROPH, der 104
Appetit, der 98
April, der 63
Arbeit, die 6
arbeiten 5
arbeiten für + *AKK.* 43
Arbeiter, der 72
Arbeitgeber, der 72
Arbeitnehmer, der 72
Arbeitsamt, das 101
Arbeitsbereich, der 22
Arbeitsessen, das 125
Arbeitsgang, der 53
Arbeitstag, der 87
Arbeitszeit, die 72
Arbeitszeitverkürzung, die 109
Argument, das 90
Arm, der 103
Art, die 119
ARTIKEL, der 13
Artischockenherz, das 122

Arzneimittel, das 56
Arzt, der 64
Ärztin, die 20
attraktiv 112
ATTRIBUTIV 23
ATTRIBUTIVES ADJEKTIV 23
auch 9
Audi (Firma) 29
auf + *DAT./AKK.* 28
auf eine Party gehen 98
auf einmal 53
Auf Ihr Wohl! 98
auf keinen Fall 125
auf Lager sein 28
Auf Wiederhören! 11
Auf Wiedersehen! 6
aufbauen 129
Aufenthaltskosten, die *(PL.)* 109
Aufgabe, die 56
aufgeben * 100
aufhören 91
auflagenstark 107
auflegen 45
aufräumen 91
aufstehen * 91
Aufstellung, die 89
Auftrag, der 43
Auftragsbestätigung, die 49
Auftragseingang, der 53
Auftragserteilung, die 117
Auftragslage, die 75
aufwenden 129
aufwendig 53
Aufwendungen, die *(PL.)* 128
Augsburg (Stadt) 29
August, der 63
aus + *DAT.*5
aus der Sicht von + *DAT.* 105
ausbauen 128
ausbilden 75
Ausfuhranteil, der 76
Ausführbarkeit, die 95
ausführlich 107
Ausgabe, die 82
ausgeben 82
ausgerechnet 99
ausgereift 114
Auskunft, die 44
Auslandsauskunft, die 44
Auslandserfahrung, die 99
Auslandsgespräch, das 44
Auslassungspunkt, der 104
auslasten 128
AUSLAUTVERHÄRTUNG, die 78
AUSRUFEZEICHEN, das 104
AUSSAGESATZ, der 10
ausschlafen * 91
ausschreiben * 100
Ausschreibung, die 100
Ausschreibungstext, der 104
aussehen * 91
Außendienst, der 22
außen 59
außerdem 57
äußere(r/s) 59
AUSSPRACHE, die 78
australisch 47
auswählen 112
Auswahlkriterium, das 108
auswirken, sich 104
Auszubildende, der 72
Auto, das 17

Charakter, der 95
Chaussee, die 28
Chef, der 6
Chefsekretariat, das 22
Chefin, die 30
Chefzimmer, das 23
Chemie, die 28
Chemieerzeugnis, das 48
Chemiker, der 20
Chemikerin, die 20
chemisch 48
Chemnitz (Stadt) 28
Chiemsee, der (See) 28
China (Land) 28
Chlor, das 28
Clara (Vorname) 120
cm 56
cm³ 56
Co. 126
Coburg (Stadt) 126
Cochem (Stadt) 126
Codierfolie, die 53
Cognac, der 130
Colonia (Firma) 126
Computer, der 80
Conrad (Vorname) 64

D
da 5
dabei 114
Dachverband, der 93
dafür 112
dagegen 129
Daimler (Name) 6
Daimler-Benz (Firma) 84
damit 112
danach 92
Dänemark (Land) 38
dänisch 47
Dank, der 44
Danke! 11
danken 49
dann 44
daran 114
darauf 114
darüber 114
das (ART.) 12
das (DEMONSTR.) 5
das ist nicht drin 114
daß 99
DATIV, der 65
DATIVOBJEKT, das 66
Dauerlösung, die 89
dauern 28
davonlaufen 89
dazu 108
DEMONSTRATIV 54
denken * 99
denken an* + *AKK*. 109
denn *(MODALPARTIKEL)* 5
denn *(KONJUNKTIONEN)* 74
der 12
deshalb 53
Dessert, das 130
Detail, das 125
deutsch 25
Deutsche, der 47
Deutsche, die 96
Deutsche Bundesbank, die 82
Deutsche Industrie- und Handelstag, der 93
Deutsche Mark, die 47
Deutsche Shell AG, die (Firma) 85
Deutschland (Land) 35
deutsch 25
Dezember, der 52
Deziliter, der 56
DGB 28
Dialog, der 31
Dialogskizze, die 19

DIALOGVARIANTE, die 90
die 8
Dienstag, der 62
Dienstleistungsbereich, der 97
Dienstschluß, der 71
diese(r/s) 43
Diesel (Name) 28
Dieselmotor, der 64
DIHT, der 28
diktieren 32
Diktiergerät, das 34
DIPHTHONG, der 6
direkt 72
Direktor, der 77
Direktorium, das 82
Diskontsatz, der 82
Diskontsatzhebung, die 82
Diskontsatzsenkung, die 82
diskutieren 74
dl (= Deziliter) 56
DM (= Deutsche Mark), die 34
doch *(MODALPARTIKEL)* 5
doch *(ANTWORT)* 5
Dollar, der 38
Dollarkurs, der 43
Donau, die (Fluß) 29
Donnerstag, der 62
DOPPELPUNKT, der 104
doppelt 104
Doppelzimmer, das 37
dort 22
Dortmund (Stadt) 40
Drachme, die 47
drauflegen 97
drei 6
dreißig 33
dreizehn 24
Dresden (Stadt) 11
drin 114
dringend 15
dritte(r/s) 62
Drittel, das 116
Drittelzahlung, die 116
drüben 6
drucken 63
Druckverfahren, das 120
DSG-Team, das 35
dunkel 52
durch + *AKK*. 42
durchführen 95
durchgehen * 87
durchschauen 91
durchschnittlich 97
durchsetzen 113
Durchwahl, die 41
Durchwahlnummer, die 44
dürfen * 44
Durst, der 69
Dusche, die 37
duschen 32
Düsseldorf (Stadt) 6
dynamisch 99

E
eben 109
ebenfalls 22
ebenso 8
EBM-Industrie, die 48
EC, der 35
EC-Verbindung, die 36
echt 125
eckig 104
ECKIGE KLAMMER, die 104
ECU, der 47
EDV-Kenntnisse, die *(PL.)* 99
effektiv 23
Ei, das 122
Eierspeise, die 122
Eigenkapital, das 86

eigentlich 109
eignen, sich für + *AKK*. 104
Eilbote, der 115
eilig 49
ein(e) 15
einbauen 53
eine(r/s) 127
eine Reihe von 82
einfach 104
EINFACHE ANFÜHRUNGSZEICHEN,
das 104
Ein frohes Neues Jahr! 98
Eingang, der 12
eingehen * 112
einige *(PL.)* 60
einigen, sich 104
einkaufen 91
einladen * 92
einlegen 91
Einrichtung, die 74
eins 13
einsatzfreudig 99
Einschreiben, das 115
einsehen * 89
einsetzen 94
einsetzen, sich für + *AKK*. 104
Einstein (Name) 64
einstellen 100
Einstellung, die 100
einverstanden 100
Einwohner, der 47
Einwohnermeldeamt, das 71
einzeln 84
Einzelteil, das 75
Einzelzimmer, das 37
Eisen, das 48
Eisenach (Stadt) 29
Eisenbahn, die 63
Eisenbahnrad, das 63
Eisenwaren, die *(PL.)* 48
Elbe, die (Fluß) 17
elektrisch 63
Elektroindustrie, die 48
Elektroingenieur, der 23
Elektrotechniker, der 22
elektrotechnisch 48
elf 24
Eltern, die *(PL.)* 71
Empfänger, der 102
empfehlen * 64
Empfehlung, die 101
Ende, das 72
enden 63
ENDSILBE, die 40
ENDUNG, die 118
eng 113
England (Land) 91
Engländer, der 96
englisch 77
Engpaß, der 67
entdecken 63
entfallen * 53
Entfernung, die 56
Entgegenkommen, das 110
entgegenkommen * 109
enthalten * 84
Entlastung, die 112
entscheiden, sich * gegen/für + *AKK* .104
entscheidend 114
Entscheidung, die 82
entschließen, sich * zu + *DAT*. 104
entschuldigen 11
Entschuldigung, die 11
entstehen * 112
entwerfen * 100
entwickeln 63
Entwicklung, die 22
Entwicklungskosten, die *(PL.)* 128
entziehen * 82

er 5
Erbse, die 122
Ereignis, das 63
erfahren * 103
erfinden * 63
Erfindung, die 76
Erfolg, der 98
erfolgreich 98
erforderlich 94
erfreulich 125
erfüllen 124
Erfurt (Stadt) 58
ergänzen 43
ergeben * 112
Ergebnis, das 114
erhalten * 64
erhöhen 53
erhöhen, sich 112
Erhöhung, die 82
erkennen * 120
erklären 63
Erlangen (Stadt) 9
ermöglichen 53
Ernährungsgut, das 48
Ernährungsindustrie, die 48
ernsthaft 99
erreichen 104
Ersatz, der 99
Ersatzteil, das 119
erscheinen * 72
erschweren 120
ersetzen 128
erst 72
Erstattung, die 128
erste(r/s) 62
erstellen 129
Erstellung, die 93
Erteilung, die 116
erwachsen 75
Erwachsene, der 75
erwarten 35
erzählen 104
Erzeugnis, das 48
es *(3. PERSON SING.)* 7
es geht um 125
es gibt 18
es handelt sich um + *AKK.* 105
Escherndorfer Lump (Weinmarke) 124
Escudo, der 47
Espresso, der 130
Essen (Stadt) 21
Essen, das 43
essen * 54
essen gehen * 87
Esso (Firma) 9
etwa 35
etwas 5
etwas Besonderes 130
Eurocity, der 35
Europa 58
europäisch 22
Europäische Gemeinschaft, die 47
Examen, das 98
experimentieren mit + *DAT.* 75
Export, der 38
Exporterfolg, der 76
Exportfinanzierung, die 87
exportieren 22
Expreß, der 49

F

Fabrik, die 12
Facharbeiter, der 99
Fachkraft, die 108
Fachzeitschrift, die 107
fahren * 21
Fahrenheit (Name) 63
Fahrer, der 20
Fahrkarte, die 43

Fahrplan, der 42
Fahrrad, das 66
Fahrschein, der 25
Fahrt, die 98
Fahrzeug, das 86
Fall, der 109
fallen * 64
fallen um * 43
fällig 116
falsch 6
Familie, die 21
fast 55
Fax, das 6
Februar, der 63
fehlen 65
Fehler, der 60
Fehmarn (Insel) 55
Feier, die 64
feiern 32
Feiertag, der 98
FEMININ 7
Fenster, das 94
Ferien, die *(PL.)* 70
Ferngespräch, das 44
fertig 130
Fertigfabrikat, das 86
fertigstellen 112
Fertigstellung, die 116
Fertigung, die 22
Fertigungsanlage, die 128
Fertigungsaufgabe, die 129
Fertigungsplan, der 57
Fertigungstechnik, die 129
fettgedruckt 128
Filderstadt (Stadt) 21
FINAL 50
Finanzamt, das 79
Finanzwesen, das 22
finden * 16
Fingerspitze, die 120
Finnland (Land) 38
Finnmark, die 47
Firma, die 8
Firmenchef, der 16
Fisch, der 122
Fläche, die 56
Flasche, die 59
Fleisch, das 43
Flensburg (Stadt) 50
flexibel 90
FLEXION, die 103
fliegen * 23
fließen * 55
Floristin, die 64
Flug, der 98
Flughafen, der 9
Flugzeug, das 35
Flüssigkeit, die 68
Fluß, der 55
Folge, die 112
folgen 55
folgen aus + *DAT.* 75
folgend 22
Folie, die 28
Ford (Firma) 40
fordern 72
Forderung, die 74
Forderungen stellen 113
Forelle, die 122
Form, die 20
formulieren 64
forschen nach + *DAT.* 75
Forschung, die 22
Forsthaus, das 94
Fotoapparat, der 43
Frage, die 49
FRAGEFORM, die 97
fragen * 7
fragen nach * + *DAT.* 75

FRAGESATZ, der 10
FRAGEZEICHEN, das 104
Franc, der 47
Franken (Landesteil) 124
Franken, der 47
Frankenwein, der 124
Frankfurt (Städte) 9
Frankreich (Land) 38
französisch 47
Französische Revolution, die 63
Frau, die 5
frei 101
Freiburg (Stadt) 6
Freitag, der 32
freitags, 32
Fremdsprache, die 21
freuen, sich über + *AKK.* 105
Freund, der 71
freundlich 65
frisch 122
Friseur, der 71
froh 98
früh 45
frühstücken 32
führen 35
führen zu + *DAT.* 75
Führungskraft, die 108
fünf 6
fünfzehn 24
fünfzig 33
Funktion, die 108
für + *AKK.* 38
Fürth (Stadt) 5
Fußball, der 66

G

g (= Gramm) 56
ganz 5
gar 77
gar nicht 77
Garage, die 126
Garten, der 66
Gast, der 37
Gastgeber, der 124
Gatte, der 118
gebären * 120
Gebäude, das 43
geben * 18
gebrauchen 115
Gebühr, die 81
Geburtstag, der 32
Gedanke, der 118
GEDANKENSTRICH, der 104
gedulden, sich 104
geeignet 53
gefallen * 64
Geflügel, das 122
gegen + *AKK.* 42
gegen den Strom schwimmen * 43
Gegenleistung, die 128
Gegenlicht, das 120
Gegensatz, der 99
Gehalt, das 52
geheim 72
gehen * 5
gehören 65
gehören zu + *DAT.* 75
gekocht 122
Geld, das 17
Geldfälscher, der 120
Geldmenge, die 82
Geldschuld, die 116
gelingen * 66
Gelsenkirchen (Stadt) 28
gelten * 72
gelten für * + *AKK.* 72
Gemeinschaft, die 47
gemischt 122
Gemüsesuppe, die 122

Investitionsgut, das 76
Investitionsplan, der 128
irisch 47
Irland (Land) 38
irren, sich 104
Isar, die (Fluß) 28
isländisch 47
ist * 5
Italien (Land) 38

J

ja (MODALPARTIKEL) 5
ja (ANTWORT) 9
jährlich 32
Jahr, das 22
Jahresanfang, der 70
Jahresüberschuß, der 85
Jahreszahl, die 38
Januar, der 62
Japan (Land) 38
Japanerin, die 96
jawohl 130
jede(r/s) 35
jede Stunde 35
jetzig 100
jetzt 21
Johannes (Vorname) 63
Journal, das 126
Journalist, der 126
Jubilar, der 66
Jubiläum, das 64
jugendlich 75
Jugendliche, der 75
Jugendvertretung, die 74
Juli, der 63
jung 99
Juni, der 63
junior 21
Jura 21

K

Kaffee, der 57
Kaffeemaschine, die 76
Kaiserslautern (Stadt) 6
Kakao, der 59
Kalbsschnitzel, das 122
Kalender, der 91
Kalkulation, die 17
Kalkulationsunterlagen, die (PL.) 129
kalkulieren 109
kalt 52
Kanada (Land) 38
kanadisch 47
Kännchen, das 59
Kanne, die 59
Kapital, das 69
Kapitalaufstockung, die 128
Karlsruhe (Stadt) 58
Kärnten (Land in Österreich) 50
Karotte, die 122
Karte, die 53
Kartoffel, die 122
Kartoffelkrokette, die 122
Kartoffelpüree, das 122
Kartoffelsuppe, die 122
Kassel (Stadt) 40
Katalog, der 39
kaufen 62
Käufer, der 116
Kauffrau, die 20
Kaufhof (Firma) 29
Kaufkraft, die 56
Kaufmann, der 20
kein(e) 6
keine Ursache 11
keine(r/s) 127
Kellner, der 43
kennen * 15
kg (= Kilogramm) 56

Kiel (Stadt) 14
Kilogramm, das 56
Kilometer, der 35
Kind, das 17
Klagenfurt (Stadt in Österreich) 16
KLAMMER, die 104
klappen 60
klar 102
Kleid, das 17
klein 42
Kleinbetrieb, der 76
Klöckner (Firma) 78
klug 52
km (= Kilometer) 55
km² (= Quadratkilometer) 56
knapp 77
Kneipe, die 79
Knoblauchsoße, die 122
Know-how, das 128
Koblenz (Stadt) 40
Koch, der 20
Kollege, der 30
Kollegin, die 43
Köln (Stadt) 43
Kolumbus (Name) 63
KOMMA, das 104
kommen * 5
kommen zu * + DAT. 75
Kompanie, die 126
KOMPARATION, die 52
Komponist, der 120
KOMPOSITUM, das 44
Konferenz, die 71
Kongo, der (Land) 111
König (Firma) 78
Königstein (Stadt) 78
konjunkturell 76
Konkurrenz, die 109
konkurrenzfähig 127
Konkurrenzprodukt, das 109
können * 44
Konsequenz, die 112
KONSONANTENKOMBINATION, die 90
Konstanz (Stadt) 40
konstruieren 100
Konstruktion, die 68
Konstruktionsbüro, das 67
Konstruktionsvorlage, die 115
Konto, das 17
KONTRAKTION, die 95
Konzern, der 128
Kopenhagen (Stadt in Dänemark) 41
Kopf, der 100
Kopfsalat, der 122
kopieren 81
korrespondieren mit + DAT. 75
kosten 25
kosten um 43
Kosten, die (PL.) 75
Kostenerstattung, die 129
kostenlos 44
Krabbencocktail, der 122
krank 42
Kranke, der 75
Krankenhaus, das 75
Kräuterbutter, die 122
Kräuterkartoffel, die 122
Kräuteromelett, das 122
Kräutersoße, die 122
Kredit, der 82
Kreditversorgung, die 82
Krefeld (Stadt) 50
Krone, die 47
Krupp (Firma) 9
Kubikmeter, der 56
Kubikzentimeter, der 56
kühl 52
kümmern, sich um 104
Kunde, der 15

Kundenbesuch, der 31
Kundenforderung, die 86
kundenorientiert 108
Kundenservice, der 109
Kundenverlust, der 90
kündigen 100
Kündigung, die 101
Kunststoff, der 50
Kunststofferzeugnis, das 48
Kunststoffindustrie, die 48
Kurve, die 108
kurz 6
Kurzform, die 115

L

l (= Liter) 56
Laborant, der 20
Laborantin, die 20
Lage, die 94
Lager, das 12
Lagerraum, der 119
Lamm, das 122
Lammrücken, der 122
Land, das 38
landen 64
Ländername, der 38
Landeszentralbank, die 82
Landmaschine, die 76
Landschaft, die 55
Landschaftstyp, der 55
Landshut (Stadt) 40
Landweg, der 115
lang 6
Lang (Firma) 7
Lang BENELUX (Firma) 87
Lang UK (Firma) 77
Lang-Hastings (Firma) 22
lange 57
langjährig 125
langsam 52
Lauchcremesuppe, die 122
laufen * 61
laut 6
lauten 72
Lebensgefährtin, die 100
Lech (Fluß) 28
legen 60
Lehrer, der 20
Lehrerin, die 20
Lehrling, der 93
leicht 99
leid 49
leid tun 49
leider 49
Leipzig (Stadt) 6
Leipziger Messe, die 17
Leistung, die 93
Leistungsfähigkeit, die 125
leiten 6
Leiter, der 30
Leitung, die 23
LEKTION, die 5
lernen 64
lesbar 120
lesen * 6
Letten (PL.), die 63
letzte(r/s) 124
Lexikon, das 66
Libyen (Land) 126
lieber 52
lieferbar 49
Lieferfrist, die 53
liefern 49
Lieferprogramm, das 125
Liefertermin, der 49
Lieferung, die 61
Lieferzeit, die 15
liegen * 12
liegen an * + DAT. 129

Bildnachweis

9 Flughafen München GmbH, Foto Jürgen Naglik
  Deutsche Lufthansa AG, Flugplanredaktion Frankfurt
24 Deutsche Lufthansa AG, Flugplanredaktion Frankfurt
25 Deutsche Bundesbank, Frankfurt
26 SANYO, München
34 Bürostuhl: Martin Stoll, Waldshut; Locher, Unterschriftenmappe: Louis Leitz, Stuttgart; Diktiergerät: Grundig AG,
  Fürth; Schreibmaschine: AEG Olympia Office GmbH,
  Wilhelmshaven; Monitor: NEC, München; Schreibtischlampe: inmac, Datacom-Technik, EDV-Zubehör, Raunheim;
  Anrufbeantworter: Tiptel electronic, Ratingen
35, 36 Deutsche Bundesbahn, Karten- und Luftbildstelle, Mainz
38 Aus: Institut der deutschen Wirtschaft: Internationale
  Wirtschaftszahlen 1990 und 1991, Angaben: Internationa-
  ler Währungsfonds
41 Siemens AG, Nürnberg
47 imu bildinfo, Essen
48 Erich Schmidt Verlag, Berlin
49 Siemens AG, Nürnberg
56 Globus-Kartendienst, Hamburg
62 Wien: Fremdenverkehrsverband Wien/Österreich Werbung,
  Köln; Flugzeug: Lufthansa Public Relations, Köln; Rom:
  Staatliches Italienisches Fremdenverkehrsamt ENIT, Düsseldorf
63, 64 Archiv für Kunst und Geschichte, Berlin
74 IG Metall, Frankfurt
76 Rechenmaschine: AEG Olympia Office GmbH, Wilhelmshaven; Waschmaschine: Bosch Pressebild; Landwirt-
  schaftsmaschine: Claas OHG, Harsewinkel; Verpackungs-
  maschine: Kallfass Verpackungsmaschinen GmbH & Co.,
  Nürtingen; Spülmaschine: Hobart GmbH, Offenburg;
  Kaffeemaschine: Philips, Hamburg; Nähmaschine: Pfaff-
  Haushaltsmaschinen GmbH, Karlsruhe
82 Deutsche Bundesbank, Frankfurt
84 Tabelle aus: „Aktuell '90 – Das Lexikon der Gegenwart",
  Lexikon Verlag, Harenberg Kommunikation, Dortmund 1989
85 oben links: Volkswagen AG, Wolfsburg; oben rechts:
  Metallgesellschaft AG, Frankfurt (Main), Foto: Dietrich;
  Schaubild unten: Globus-Kartendienst, Hamburg
93 Schaubild: Erich Schmidt Verlag, Berlin
95 Tabelle aus: Institut der deutschen Wirtschaft „Internationale Wirtschaftszahlen 1991", Angaben: Ifo-Institut; Formula-
  re: Deutsches Patentamt, München
95 Aus: Institut der deutschen Wirtschaft „Internationale
  Wirtschaftszahlen 1991", Angaben: EG, ILO, nationale Sta-
  tistiken
97 Globus-Kartendienst, Hamburg
107 Aus: Institut der deutschen Wirtschaft „Zahlen zur wirt-
  schaftlichen Entwicklung der Bundesrepublik Deutschland
  1991", Angaben: Informationsgemeinschaft zur Feststellung
  und Verbreitung von Werbeträgern (IVW)
108 oben: SCS Personalberatung, Hamburg; unten: Handels-
  blatt, Düsseldorf
120 Globus-Kartendienst, Hamburg
121 Hotel Forsthaus, Fürth
123 Deutsches Weininstitut GmbH, Mainz
129 Philips GmbH Apparatefabrik Wetzlar
130 Informationszentrale Eiskrem, Kommunikation & Marketing,
  Volker Stoltz GmbH, Bonn